Gérard Ma

TRICHERIES AU POKER

AbrAcAdAbrA
éditions

Gérard Majax

TRICHERIES AU POKER

AbrAcAdAbrA
éditions

Table des matières

Avertissement

Le Poker est à la mode. De sa forme classique le Poker fermé aux formes actuelles Omaha, Omaha Hi-Lo, Stud et Texas Hold'em avec sa version popularisée par la télévision le No Limit Hold'em et bien d'autres, ce jeu est devenu le loisir préféré des passionnés des cartes. Par rapport à d'autres jeux comme le Bridge, le Gin Rummy, la Belote, etc , le Poker se caractérise par les mises d'argent. C'est un jeu auquel, si on en a les moyens, on joue « gros ».

Il était donc évident que des joueurs peu scrupuleux se soient mis à tricher. Certains avec des moyens amateurs et très classiques comme en repérant par exemple quelques cartes et en les suivant durant le mélange du « donneur » afin de pouvoir les situer. On peut ainsi savoir que ces cartes ne seront pas servies après la coupe ou, au contraire, être certain qu'elles ont été distribuées.

Mais, pour des joueurs professionnels qui exercent dans les cercles de jeux, dans les parties privées de haut niveau, dans les croisières de luxe, etc..., le fait de tricher ne représente seulement qu'une technique supplémentaire pour gagner. Et les gains peuvent être si importants qu'ils motivent un investissement dans un accessoire sophistiqué ou dans quelques années de manipulations.

Je vous présente un panorama presque complet des tricheries au Poker (pas toutes car certaines ne peuvent pas être exposées, servant encore à quelques tricheurs qui m'ont renseigné...). Ces professionnels sont avant tout des grands joueurs et n'utilisent bien souvent qu'une seule technique. Leur psychologie est redoutable et leur stratégie, sans faille. Toute leur vie demande une organisation semblable à celle d'un espion. Leur plaisir du jeu est ainsi décuplé par le risque potentiel de la triche. Dans leur malhonnêteté, ces personnages demeurent passionnants.

J'espère que ce livre vous permettra de repérer d'éventuels tricheurs et, en tout cas, de vous méfier. Mon but est de vous permettre de jouer en toute quiétude. Si, par contre, vous aviez l'intention de vous servir de ces révélations pour tricher vous-même, n'y pensez même pas une seconde. Les manipulations demandent bien trop de temps et, à l'instant où j'écris ces lignes, les boutiques secrètes qui, m'ont vendu des accessoires uniques, ont déjà déménagé. Seuls quelques grands tricheurs savent comment les retrouver.

Entrez maintenant dans le monde secret des tricheurs au Poker.

I – CARTES TRUQUÉES

On parle souvent de cartes truquées mais on ne sait pas très bien en quoi cela consiste. Voici une étude systématique qui permettra au lecteur de vérifier discrètement si les cartes à jouer d'une partie sont normales. Il faut encore distinguer les cartes « marquées » des cartes « découpées ».

Les cartes « marquées » ont un signe particulier sur le tarot (dos des cartes) qui permet au tricheur de les reconnaître presque aussi bien de dos que de face. La vue n'est pourtant pas toujours nécessaire et certains marquages peuvent être repérés seulement au toucher.

De même, on peut contrôler facilement des cartes « découpées ».

Le truquage des cartes est d'un intérêt primordial pour le tricheur. Cela lui permet en effet d'éviter des manipulations ou du moins de les réduire considérablement. Les cercles de jeu ou les casinos ont d'ailleurs tout mis en œuvre pour éviter le « marquage » de leurs cartes.

Fig. 1 Position idéale pour détecter le marquage des cartes.

1. Cartes marquées

Il faut avant tout connaître le moyen simple de détecter le marquage de cartes. Il suffit de tenir le jeu dans la position de la figure 1 et d'effeuiller les cartes en observant bien le dessin des dos. Si des portions de dessin sautent d'une carte à l'autre en formant une sorte de dessin animé, c'est la preuve recherchée. Un examen plus précis de deux ou trois cartes vous permettra de comprendre la clé du marquage. Nous allons vous montrer quelques exemples en séparant les cartes marquées en usine des cartes dont le marquage est improvisé sur le lieu de la partie.

Cartes marquées en usine

Certaines cartes sont marquées à leur fabrication. La célèbre marque « Bicycle » produit aussi des jeux marqués, pour mieux faire des « tours... de magie ».

1. Le système de l'horloge : C'est un système très simple (fig. 2). La partie évidée en A indique la couleur : cœur et la partie évidée en B indique le rang : trois. Chaque fabricant a un peu transformé le dessin de l'horloge et déplacé les couleurs ou les rangs. Voici trois cartes différentes indiquant le trois de cœur (fig. 3A) ou le cinq de trèfle (fig. 3B).

Fig. 2 Le système de « l'horloge » : la partie évidée en A indique « cœur » et la partie évidée en B indique « trois ».

Fig. 3A Trois dessins différents pour indiquer le « trois de cœur ».

Fig. 3B Trois dessins différents pour indiquer le « cinq de trèfle ».

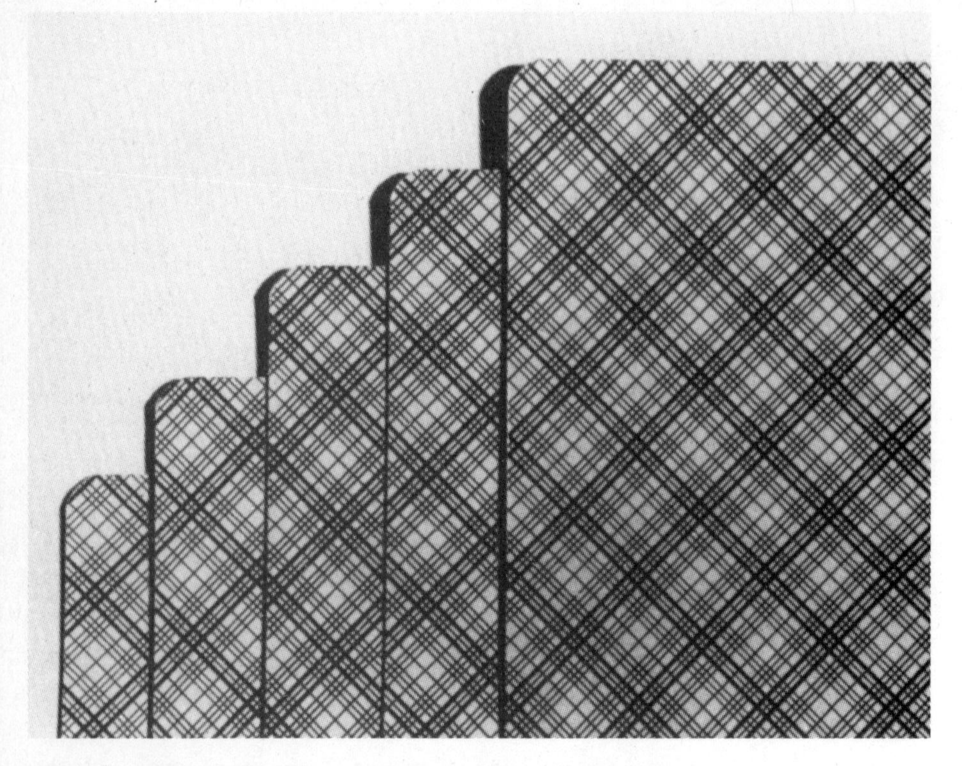

Fig. 4 Le quadrillage indique la carte selon la position des lignes épaisses.

2. Le quadrillage : Comporte des lignes larges qui sont plus ou moins éloignées du coin gauche selon un code secret (fig. 4) :
1 cran = As, 2 crans = Roi, 3 crans = Dame, 4 crans = Valet, etc…

3. Les chiens (fig. 5) : La boule du collier A entièrement blanche annonce la couleur : cœur pour la carte 1, trèfle pour la carte 2. La fleur gauche du centre indique le rang B – le trois pour la carte 1 et le cinq pour la carte 2.

4. Le paysage : Le marquage consiste en une transformation du paysage contenu dans le cercle de gauche (fig. 6). Les pattes des oiseaux sont différentes ainsi que le nombre de traits formant l'horizon. Sur la carte 1, l'oiseau du bas a les pattes longues, ce qui indique cœur et trois traits supplémentaires sous l'horizon à droite indiquant trois. Sur la carte 2, les oiseaux ont tous deux les pattes longues, ce qui indique trèfle et trois traits supplémentaires contre la grande roue de la bicyclette sur sa droite doivent être additionnés à deux, ce qui donne cinq.

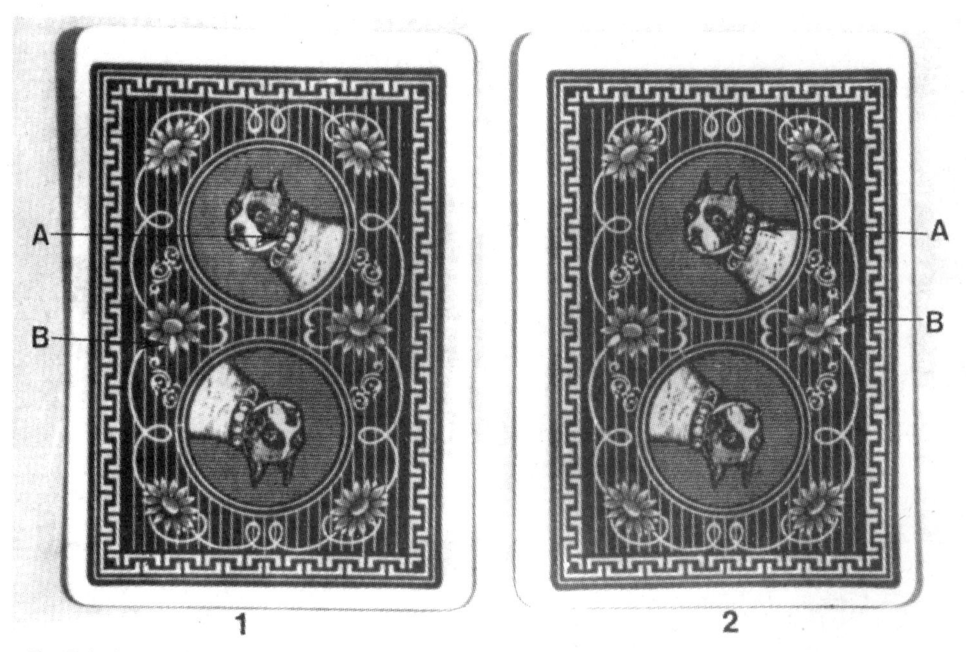

Fig. 5 La boule blanche du collier indique en A « cœur » pour la carte 1 et « trèfle » pour la carte 2. La fleur indique en B, trois pour la carte 1 et cinq pour la carte 2.

Fig. 6 Le paysage en médaillon est légèrement modifié d'une carte à l'autre. Sur la carte 1, l'oiseau du bas a les pattes longues, ce qui indique cœur. Trois traits supplémentaires sous l'horizon à droite indiquent trois. Le dessin de la carte 2 représente le cinq de trèfle.

B. Improvisation du marquage (grâce à des encres indiquées dans le chapitre sur la chimie)

1. Sur un quadrillage (fig. 7) : La carte vue de dos est également un sept de pique. La première case verticale est colorée ce qui donne Pique et la septième case horizontale indique sept.

2. Sur la tranche du jeu (fig. 8) : Les quatre points les plus rapprochés du coin signalent les As, les quatre autres signalent les Rois.

Fig. 7 Le petit triangle supplémentaire en A indique « pique » et celui situé en B indique « sept ».

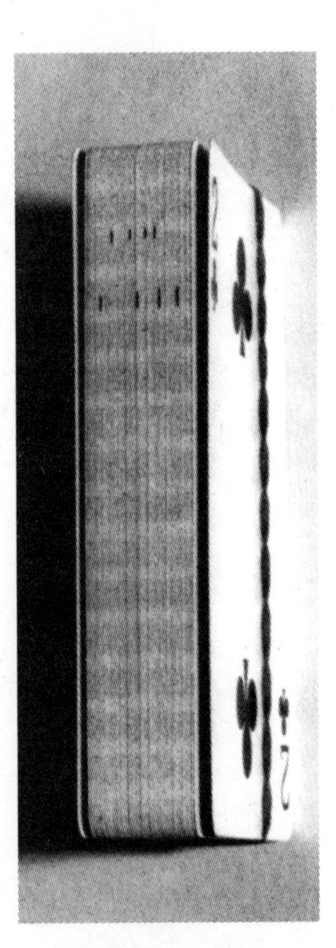

Fig. 8 Marquage sur la tranche : pour repérer les as et les rois.

3. En relief (fig. 9) :

- Pour éviter de regarder les cartes afin de les repérer, on peut les déformer légèrement en les appuyant contre la petite pointe arrondie d'une bague spéciale. Chaque tricheur fixe lui-même les correspondances.

- Une simple pression de l'ongle sur le côté peut former une petite pointe dépassant légèrement à l'endroit convenu.

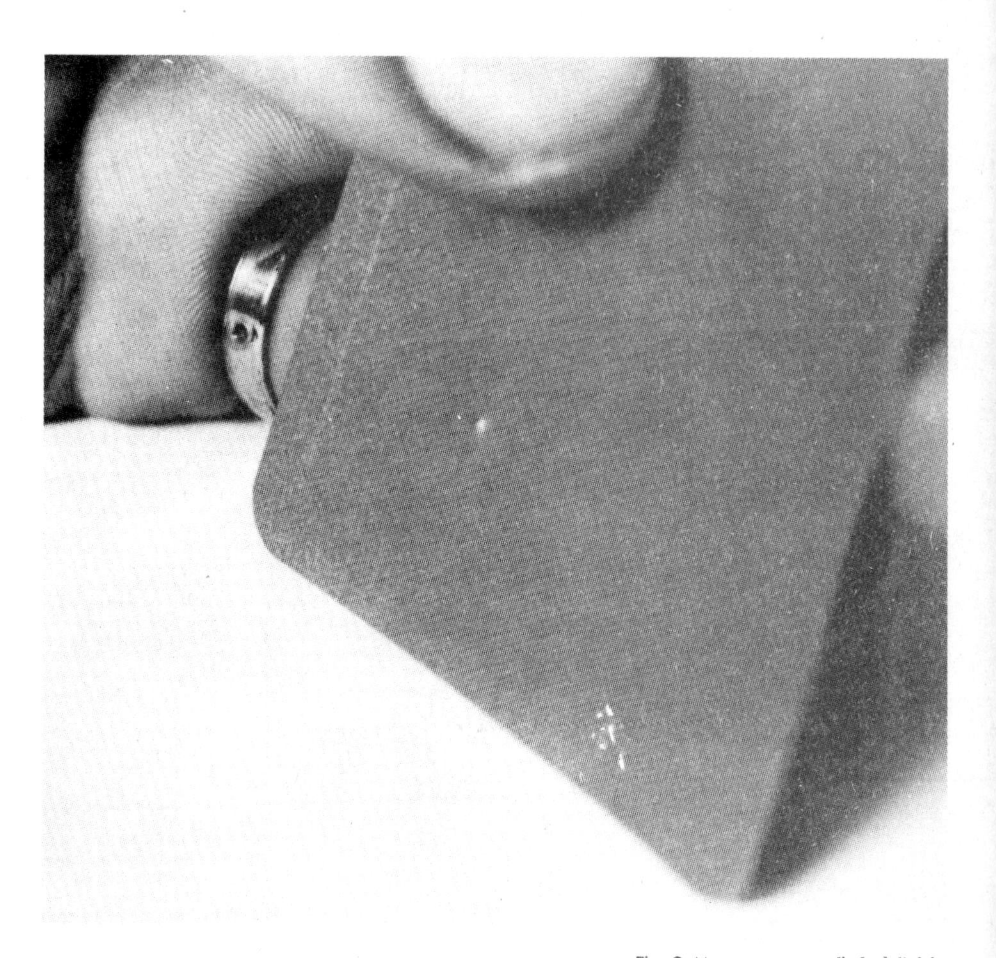

Fig. 9 Marquage en relief : à l'aide d'une bague truquée. Il vaut mieux, évidemment, utiliser cette technique avec des cartes à dos bariolé.

- Le « tuilage » d'une carte ou le « pontage » d'un petit paquet consiste à courber légèrement la carte ou le paquet. Cette opération peut s'effectuer à l'avance, de manière à repérer ensuite certaines cartes mais peut aussi s'improviser durant la partie. Un mouvement assez naturel permet de courber la moitié du jeu (fig. 10).

  Un complice peut aisément couper à la brisure ainsi formée (fig. 11). Le tricheur peut même prendre le risque de laisser couper le « pigeon ». Il y a de fortes chances pour que ce dernier coupe à l'endroit désiré.

- Le « cornage » d'une carte consiste à plier légèrement un coin de la carte (fig. 12). Cette méthode est moins repérable que le « pontage » et permet pourtant très facilement à l'initié de couper où il faut (fig. 13).

4. Les produits de « marquage improvisé » : Le tricheur peut marquer les cartes à l'aide d'un peu de cendre de cigarette, de poussière ou même de rouge à lèvres, s'il s'agit d'une femme. Certains professionnels bloquent sous l'ongle du majeur un petit morceau de toile « émeri » afin de retirer la brillance d'une carte en un endroit donné ou bien encore de supprimer une partie du dessin. Le marquage effectué, il ne reste plus qu'à jeter ce petit morceau de toile dans un cendrier.

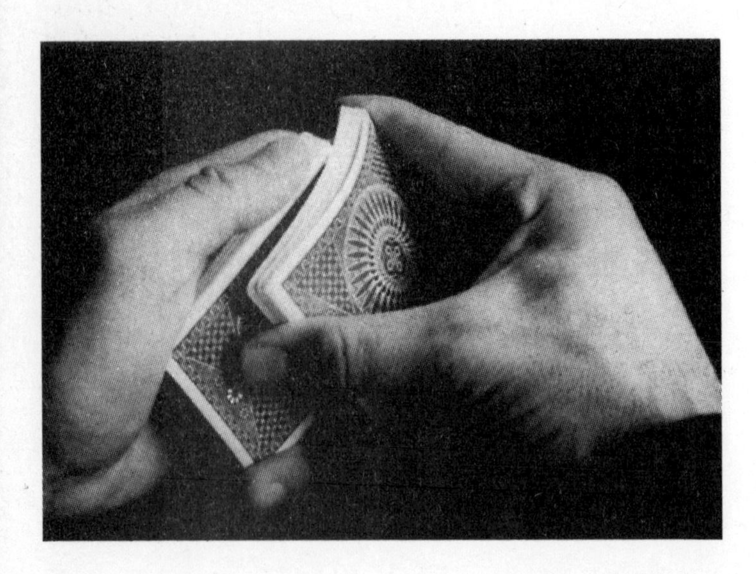

Fig. 10 Position de « tuilage » pour courber une ou plusieurs cartes.

Fig. 11 Brisure formée par le « pontage » pour repérer l'endroit où il faut couper

Fig. 12 Cornage d'une carte.

Fig. 13 Repérage du coin corné afin de couper le jeu au bon endroit.

2. Cartes decoupées

1. Le coin : très légèrement diminué sur une carte importante, le joker par exemple (fig. 14). Il suffit d'effeuiller le jeu avec le pouce contre les coins en stoppant au décalage produit par le coin coupé. Ce procédé est très utile pour préparer un saut de coupe qui rétablira l'ordre des cartes.

Fig. 14 Carte au coin coupé pour un repérage à l'effeuillage.

2. Les cartes étroites (fig. 15) permettent de couper sans erreur sur une bonne carte ou à la première carte d'une série préparée.

3. Les cartes larges (fig. 16) sont extraordinaires pour laisser couper un autre joueur; il y a de fortes chances pour qu'il coupe à la carte large. Le moyen facile d'obtenir des cartes larges est de rendre les autres plus étroites en les coupant légèrement.

4. *Les cartes courtes* ont la même utilisation que les cartes étroites mais en prenant le jeu par les petits côtés.

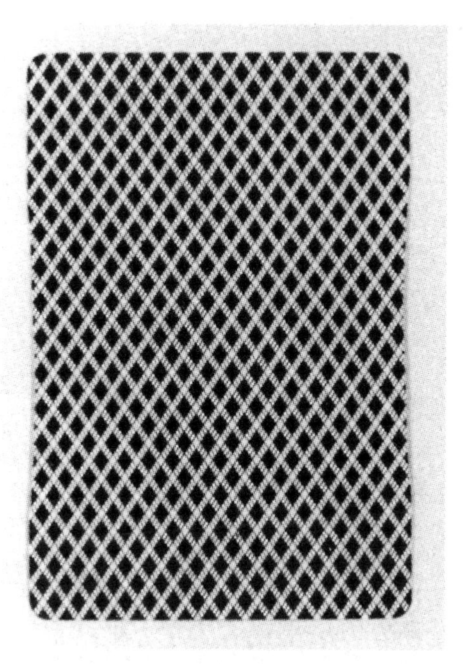

Fig. 15 Carte étroite pour effectuer sans erreur la coupe désirée.

5. *Les cartes longues* ont la même application que les cartes larges et s'utilisent lorsqu'on a remarqué que le joueur coupe en prenant le jeu par les petits côtés.

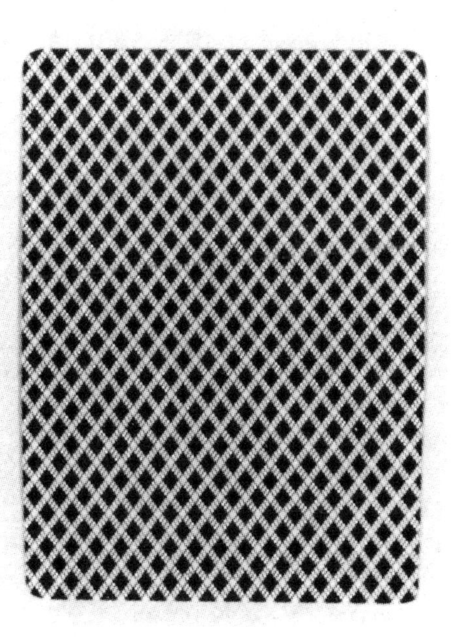

Fig. 16 Carte large pour tenter de faire couper un joueur honnête à l'endroit voulu.

6. *Les cartes biseautées* ont une forme légèrement trapézoïdale (fig. 17). Ainsi, seules les cartes placées en sens contraire dépassent sur le côté pour faciliter la coupe. L'avantage est de pouvoir changer les cartes repérables.

Fig. 17 Une carte biseautée : la forme trapézoïdale est exagérée afin de mieux indiquer son utilisation.

Fig. 18 Ustensile permettant de découper les cartes sur le lieu de trichage.

7. Appareil à couper sur place (fig. 18) : permet, à l'aide d'une lame de rasoir, d'obtenir rapidement quelques cartes truquées.

Mais, bien entendu, un tricheur peut se servir de simples ciseaux s'il ne s'agit que de couper une ou deux cartes. Certains professionnels s'isolent un instant dans une salle de bains toilettes pour rogner quelques cartes contre le bord d'un miroir. Ainsi, aucune preuve ne subsiste sur eux au cas où ils se feraient fouiller.

II – CHIMIE EN SERVICE

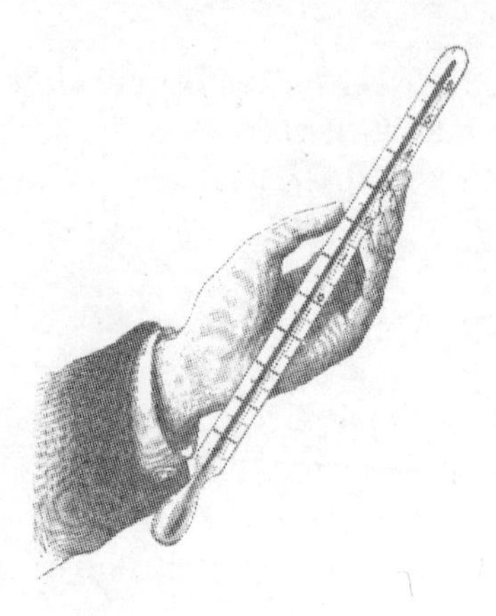

À la fantaisie de l'imagination et de la création du tricheur, se mêle la rigueur scientifique des formules chimiques. Cette application de la chimie aux cartes à jouer peut paraître surprenante et pourtant les laboratoires de recherche ont découvert une quantité incroyable de formules nouvelles pouvant être utilisées par un tricheur. Nous allons nous contenter de décrire quelques principes et certaines formules qui se vendent très cher entre tricheurs.

Les cartes adhérentes

Un liquide spécial appliqué sur les deux faces de plusieurs cartes leur permet ensuite d'adhérer entre elles par simple pression. Il est ainsi possible de cacher deux ou trois cartes sous une autre ou encore de se distribuer des cartes doubles. Ce liquide est invisible et seule une personne expérimentée peut s'en apercevoir.

Formule A : Mélangez 100 g de Baume du Canada (résine employée en optique) avec 1 litre de tétrachlorure de carbone (liquide très dangereux et volatile). Si la carte est jaunie par une application au coton, il faut réduire la dose de Baume du Canada.

Formule B : Vous pouvez vous servir d'une bombe aérosol (Cristal Clear) pour vaporiser les cartes, ce qui déposera une légère couche de plastique. Ce système est parfait pour les cartes déjà plastifiées.

Formule C : Il suffit d'utiliser les boules de cire destinées aux oreilles pour dormir. Frottez-les légèrement sur les faces des cartes que vous désirez rendre adhérentes.

Le pouce adhérent

Pour pratiquer plus facilement la « donne en seconde » (voir le chapitre sur les manipulations), vous devez auparavant frotter votre pouce sur un produit spécial vendu pour les caissiers. Ainsi, vous aurez autant de facilité à séparer les cartes qu'ils en ont à séparer les billets (fig. 19).

Fig. 19 Produit à rendre le pouce « adhérent » afin de mieux tricher en distribuant les cartes.

Les cartes glissantes

Si l'on enduit les cartes de stéarate de zinc en poudre, elles glisseront plus facilement, de façon à se séparer en un endroit voulu ou encore de se dégager plus facilement pour la « donne en seconde ». On peut appliquer cette poudre avec un coton ou, mieux encore, à l'aide d'un petit appareil rempli de poudre, dans lequel on fait passer les cartes (fig. 20).

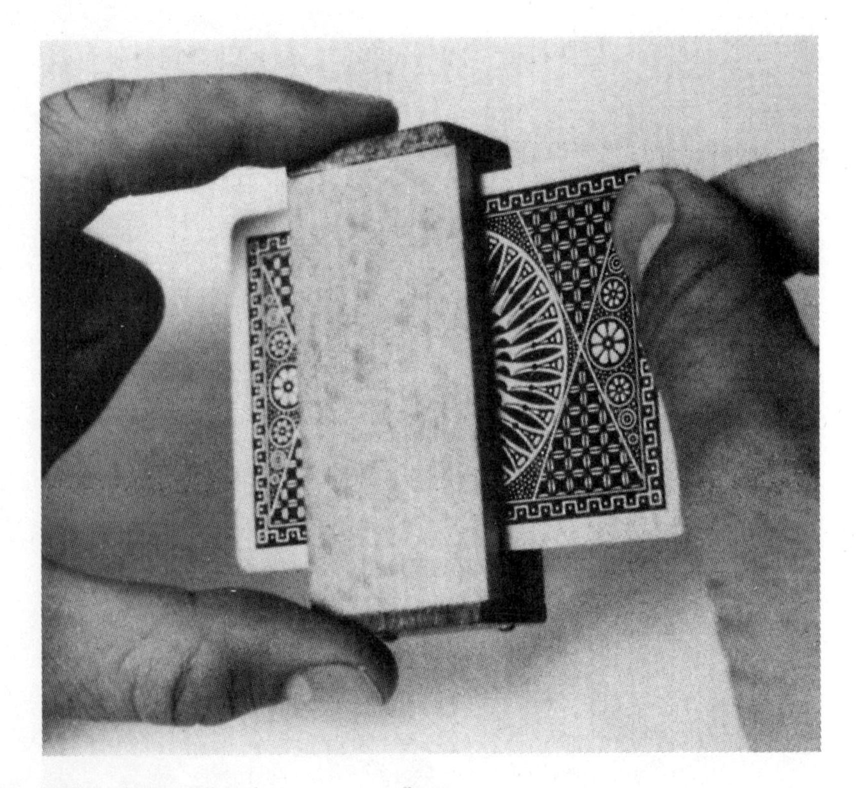

Fig. 20 Ustensile permettant d'obtenir des cartes « glissantes ».

Action de l'humidité

Certains tricheurs ne se compliquent pas la vie pour rendre leurs cartes plus ou moins adhérentes. Ils placent les jeux de cartes encore empaquetées dans une pièce humide ou dans une boite à cigare humidifiante. Au bout d'un certain temps, les cartes basses ou les As ne glissent plus (étant peu imprimées) et les figures ou les points importants glissent toujours.

Les encres spéciales

Pour marquer le dos des cartes, il est indispensable d'obtenir une encre semblable à celle qui a servi en usine. Les formules varient tellement suivant les marques et les séries qu'il est impossible d'indiquer une formule restant valable.

Toutefois, la dominante du dos des cartes étant rouge ou bleue, un moyen rapide et souvent très efficace consiste à se servir de l'encre à crayons à bille, quitte à mélanger jusqu'à ce que le résultat soit utilisable.

L'encre de latex

Cette encre révolutionnaire s'efface quand on le désire en passant son pouce dessus. Ainsi, on peut auparavant maquiller un As de Trèfle en As de Pique en le laissant voir à un autre joueur comme si vous ne vous en étiez pas aperçu. Vos autres cartes étant par exemple au Poker ouvert : Roi, Dame, Valet et Dix de Trèfle, l'autre joueur misera une fortune, mais en transformant votre As, vous gagnerez avec une quinte flush.

- Mélangez de l'eau distillée et du noir de fumée.
- Rajoutez le latex petit à petit en secouant bien après chaque addition.
- Appliquez cette encre à l'aide d'une allumette taillée.
- Au début, la couleur de cette encre peut vous paraître grise, mais ne vous inquiétez pas, elle noircira en séchant.
- Si votre mélange est trop épais, vous devez le recommencer en ajoutant une goutte d'ammoniaque à l'eau distillée.

Le vernis à « change »

En mélangeant à doses égales, Collophane et Tétrachlorure de Carbone, vous obtiendrez un vernis très dense. Un compte-gouttes tenu secrètement dans la main, vous permettra de déposer sur le tapis de cartes, une goutte, qui, séchée, formera un léger obstacle très utile à un change de cartes *(voir le chapitre des manipulations)*.

III – OPTIQUE SECRÈTE

1. Les lunettes qui voient tout

Beaucoup de joueurs portent des lunettes noires sous prétexte de cacher leur regard. Les lunettes truquées font un peu partie de la légende des tricheurs sophistiqués (voir la photo de couverture).

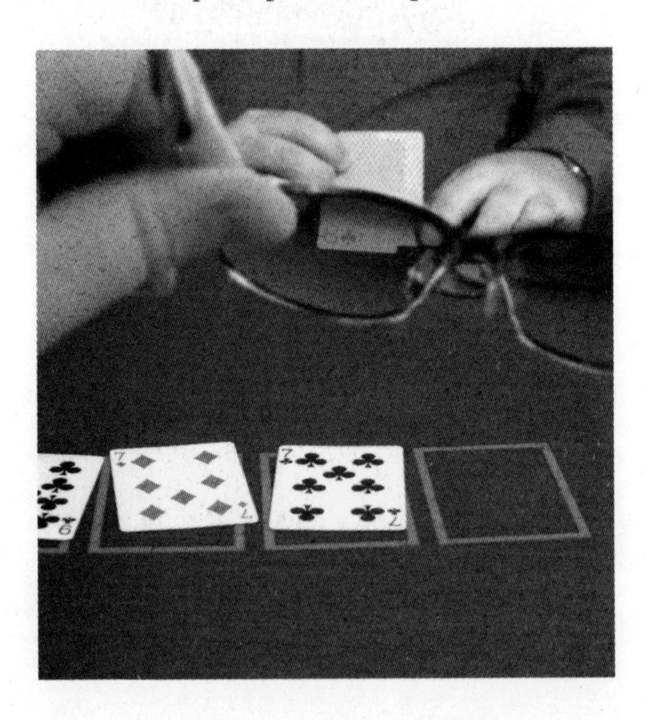

Qu'elles soient correctives ou non, ces lunettes de tricheur possèdent simplement une coloration rouge qui supprime ainsi la vision des dessins rouges. Des marques très légères, effectuées au crayon gras bleu, se distingueront d'autant plus qu'elles sont de la couleur complémentaire du rouge. C'est un moyen très facile de repérer les cartes durant leur distribution (fig. 21) ou lorsqu'elles sont tenues en main par les joueurs. Ce marquage est, la plupart du temps, effectué artisanalement mais l'industrie du jeu s'y intéresse.

Fig. 21 Grâce aux lunettes spéciales, le tricheur connaît les cartes aussi bien de dos que de face. L'inscription inscrite à la main ou imprimée industriellement demeure invisible aux autres joueurs.

2. Des lentilles révélatrices

A. Lentilles de contact dures

Il s'agit du même principe appliqué à ce matériel beaucoup plus discret et passant inaperçu (fig. 22). En fait, l'iris se retrouve beaucoup plus sombre (fig. 23). Lorsque le tricheur a placé ses deux len-

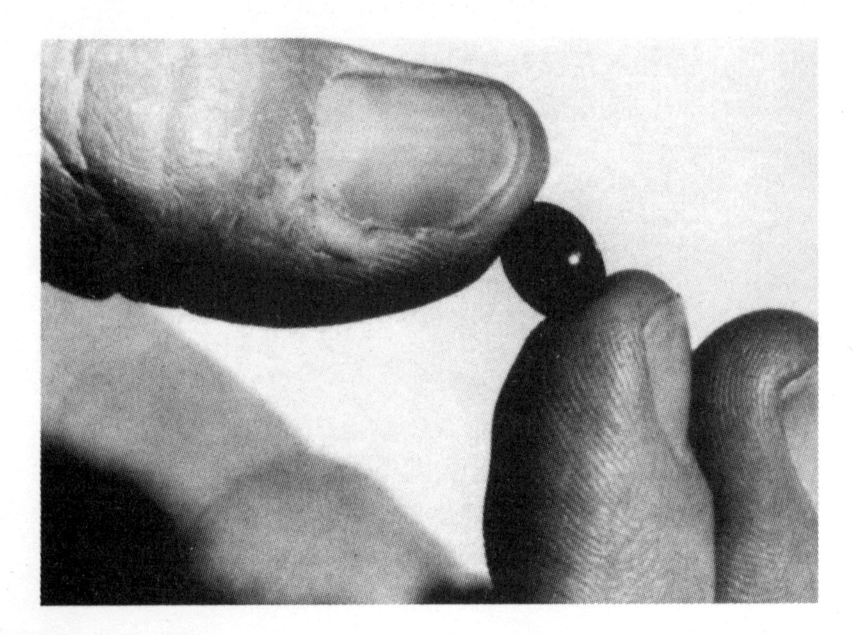

Fig. 22 Lentille de contact à filtre coloré.

Fig. 23 L'iris recouvert d'une lentille paraît plus sombre.

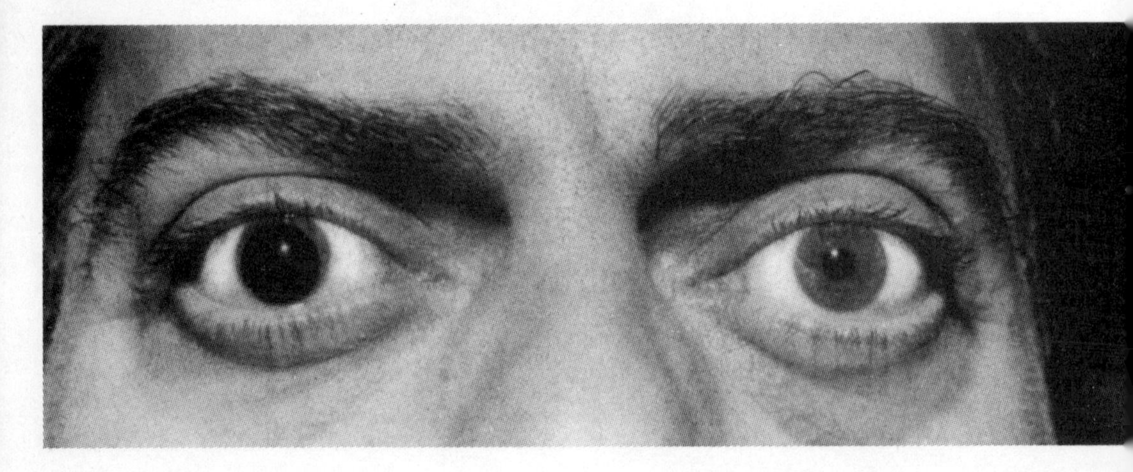

tilles (fig. 24), les personnes le connaissant bien, verront la différence de son regard; il a donc intérêt à jouer avec des étrangers à son cercle d'amis. Tous les défauts de vue pouvant être corrigés par ces lentilles dures, il y a donc un grand avantage pour les personnes ayant déjà l'habitude de lentilles correctrices car il est impossible sans accoutumance d'improviser le port de lentilles colorées seulement le jour où l'on a décidé de tricher. Malheureusement, les tricheurs ayant une cornée fragile ou une « conjonctivite palpébrale » manifesteront la plupart du temps une intolérance.

B. Lentilles de contact souples

Celles-ci permettent une tolérance immédiate par les yeux les plus sensibles. Ces lentilles pouvant être, suivant la marque, plus larges que l'iris, la coloration rouge n'existera que sur un fond central effectué aux dimensions exactes de l'iris du tricheur.

Fig. 24 Le regard du tricheur est nettement changé après la pose des deux lentilles surtout si ses yeux sont habituellement clairs.

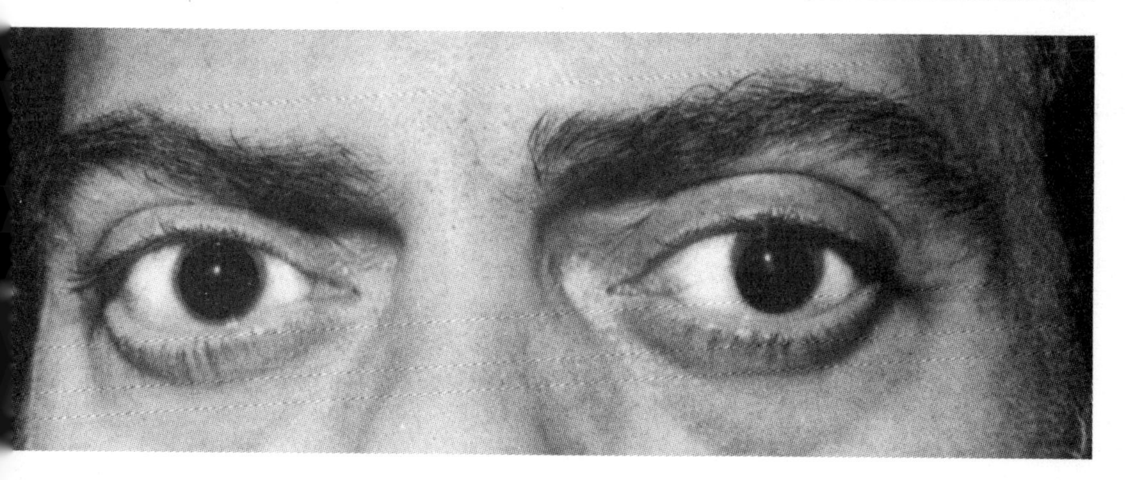

3. Des miroirs de sorcières

C'est un principe très classique pour le tricheur de regarder secrètement les cartes qu'il distribue dans un miroir. Ce miroir peut être naturellement un objet existant sur la table. Il peut aussi être incorporé à un autre objet ne pouvant pas être suspect.

Objets naturellement réfléchissants

1. On trouve souvent sur une table des objets brillants tels que cendriers, étuis à cigarettes, briquets ou stylos (fig. 25)

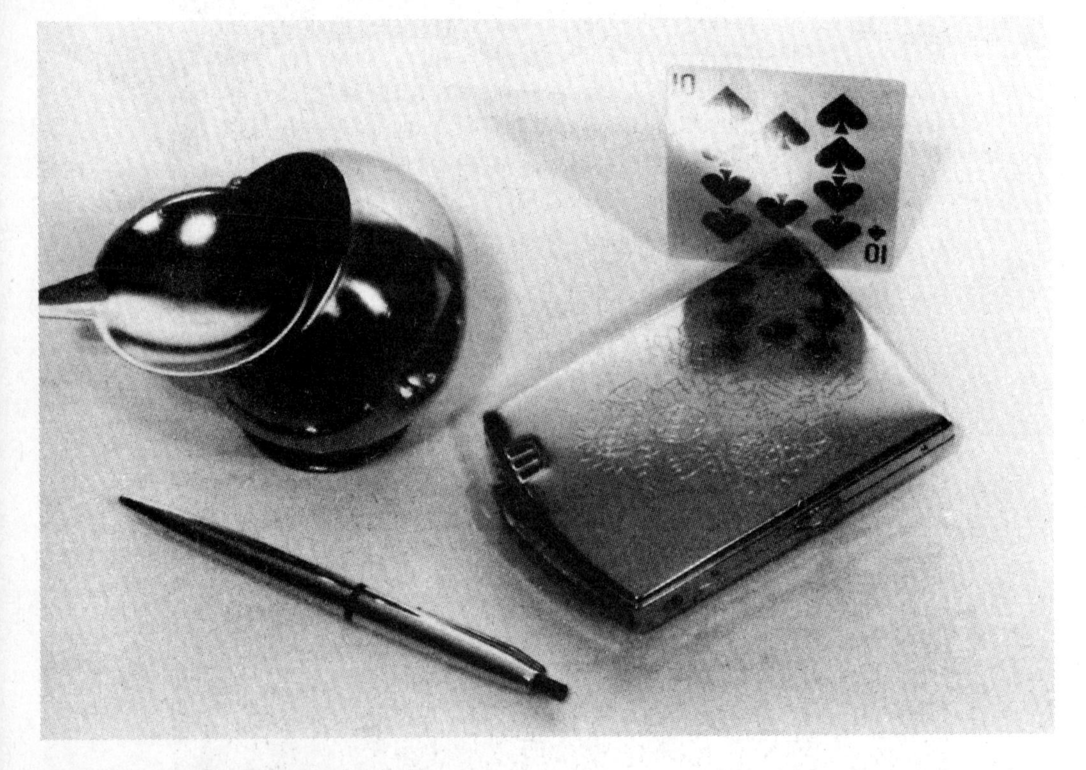

Fig. 25 Objets habituels servant de miroirs.

2. Un repas ou même un sandwich et un café venant d'être servis, on peut se servir d'un couteau ou de la petite cuillère comme d'un miroir.

3. Il ne faut pas oublier les lunettes d'un adversaire car son jeu s'y réfléchit souvent suffisamment pour le lire. Certains boutons de manchettes très brillants peuvent aussi servir de miroir.

B. Objets spéciaux

Ces objets ont été fabriqués spécialement dans le but de tricher.

1. Une bague miroir (fig. 26)

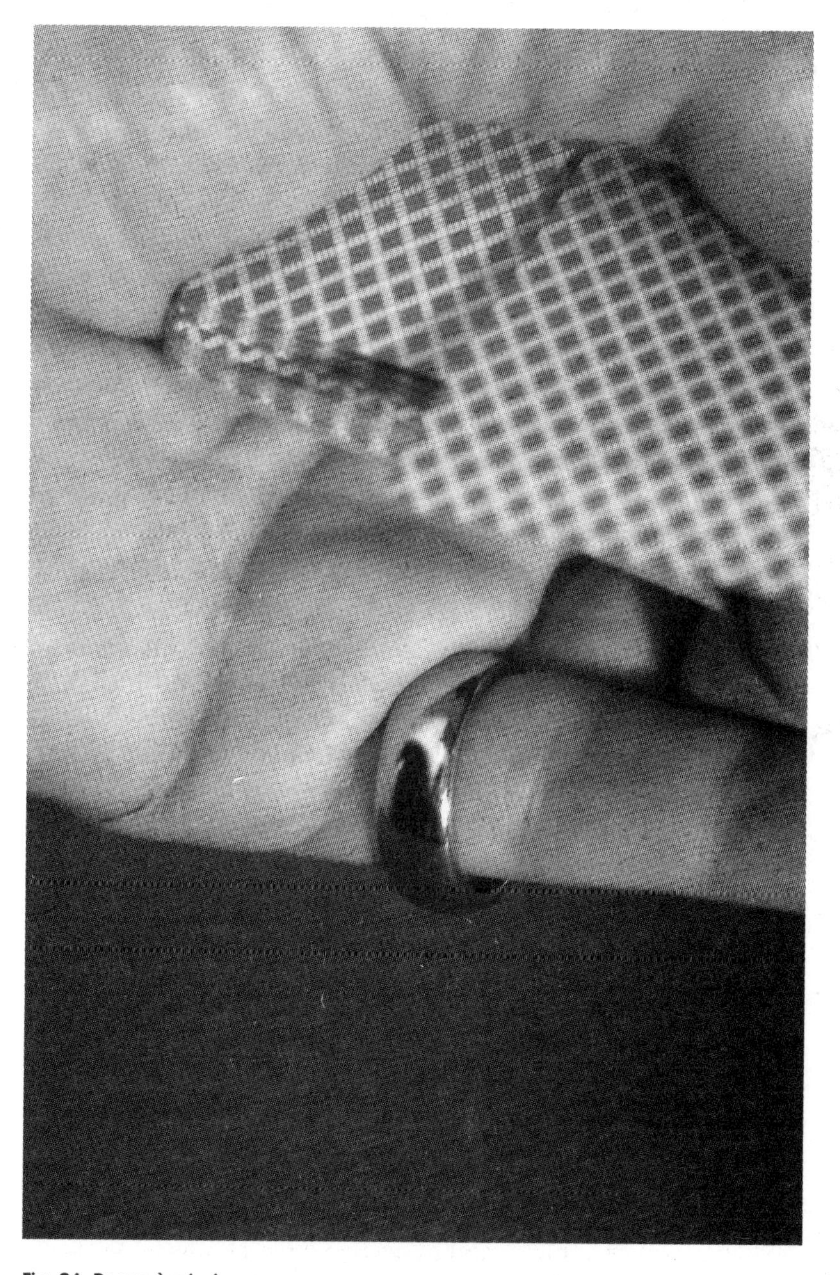

Fig. 26 Bague à miroir concave.

2. Une cigarette au bout de laquelle on a piqué un petit miroir spécial à pointe, de forme générale semblable à une punaise (fig. 27). Elle peut être tenue en main droite tout en distribuant.

Fig. 27 Miroir fixé au bout d'une cigarette.

3. Un billet de banque contenant un petit miroir concave de forme ronde (fig. 28). Tout en comptant son argent, le tricheur peut dégager ou cacher le miroir sous un billet normal.

Fig. 28 Miroir collé sur un billet de banque.

4. Ce miroir est fixé à une autre partie métallique et ronde comprenant une pointe (fig. 29). On pique ainsi le tout sous le bord de la table, si elle est en bois, bien sûr. Il suffit de déplier la partie comprenant le miroir au moment de distribuer les cartes.

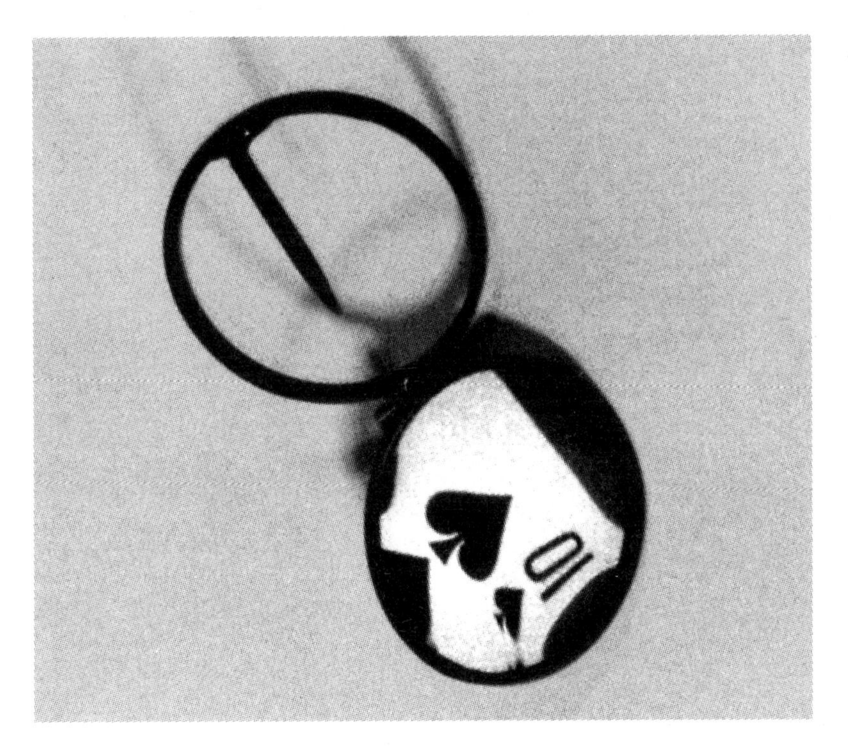

Fig. 29 Miroir à piquer sur le bord d'une table.

IV – ACCESSOIRES MIRACULEUX

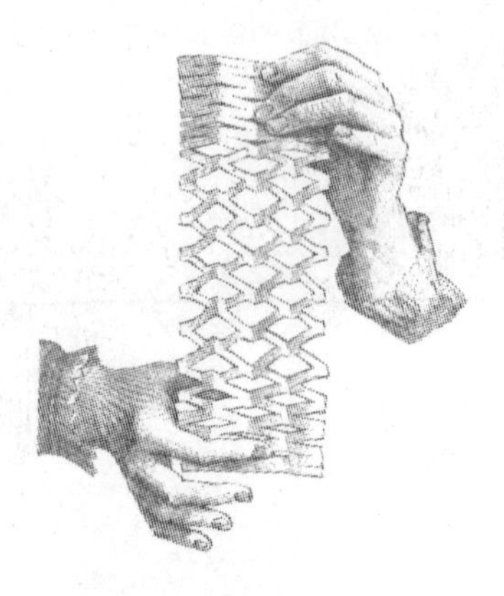

L'ingéniosité des tricheurs n'a pas de limite pour créer des appareils pouvant leur faciliter le travail. Leur fabrication a toujours été artisanale. Plusieurs de ces systèmes ont néanmoins été construits en série, pour pouvoir fournir des « gangs » de tricheurs. D'autre part, plusieurs Etats des Etats-Unis permettaient, il y a quelques années, la vente libre de ces objets. Les lois ont été modifiées et leur vente interdite. Il est pourtant possible d'en trouver encore au marché noir.

1. Les changeurs de cartes

Venant secrètement de l'intérieur des manches, ces appareils plus ou moins perfectionnés permettent au tricheur de saisir une des cartes préparées et de remettre à sa place la carte indésirable, avant de la retourner sur le tapis.

1. (Fig. 30). Cet appareil est assez ancien. Il se fixe par des lanières sur l'avant-bras droit. Le tricheur enfile sa veste par-dessus. Il l'actionne à travers le tissu grâce à sa main gauche qui appuie sur un petit levier terminé par le bouton A de manière à allonger le système B jusqu'à ce que la carte atteigne la main droite qui la saisit. Il devra repousser le tout dans la manche avec la main gauche après y avoir coincé la mauvaise carte.

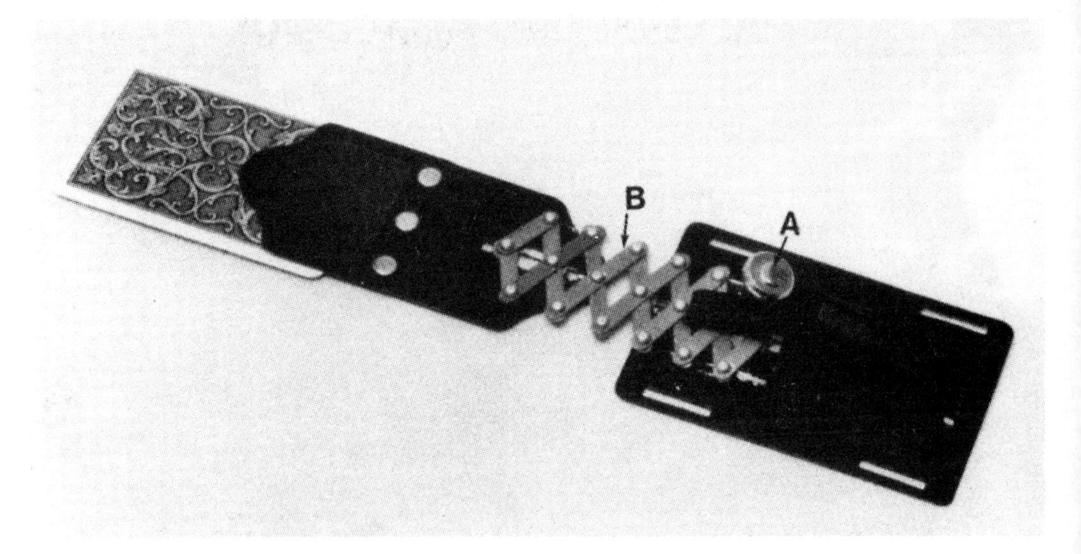

Fig. 30 Modèle assez ancien de changeur de carte. L'extension du système B s'obtient par une pression sur A à travers la manche.

2. (Fig. 31). Ce système est un peu plus perfectionné car il est pneumatique et ne s'ouvre lorsque le bras est baissé que si l'on appuie avec la main gauche sur le bouton A. Le fil de fer B forme une protection vis-à-vis de la manche pouvant toujours gêner le mouvement de l'appareil.

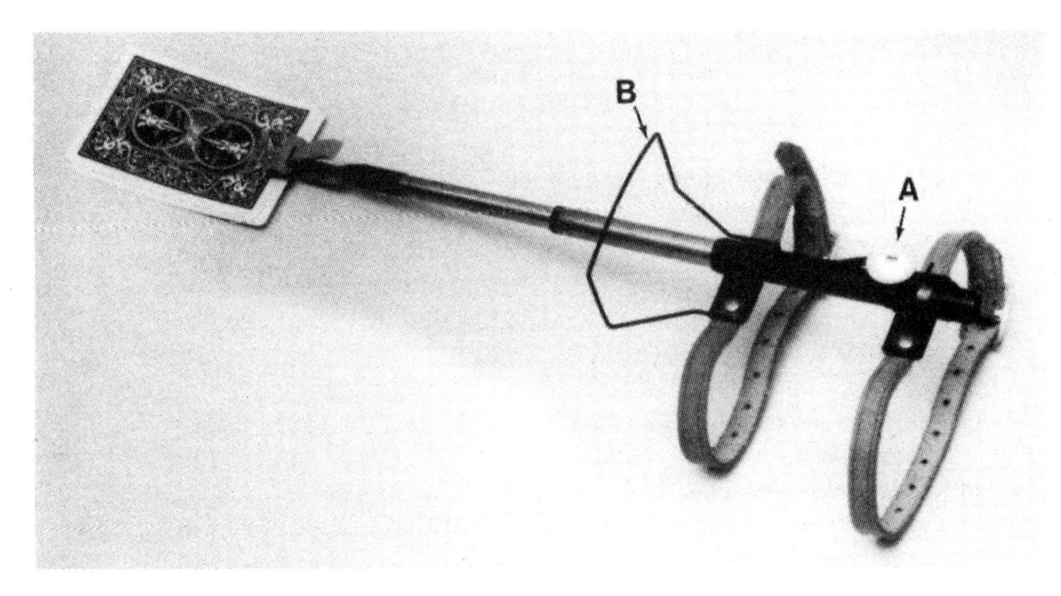

Fig. 31 Changeur pneumatique. Une pression en A fait s'allonger la pince télescopique. Le passage des cartes sous la manche est protégé par le fil de fer B.

3. (Fig. 32). C'est le plus élémentaire des appareils étant commandé en dehors du bras droit. Un fil passant par la petite poulie A actionne la sortie du système tenant la carte qui, malheureusement, ne se déploie que très peu, obligeant le tricheur à fixer l'appareil très près de l'ouverture de la manche. Le fil s'éloigne dans un petit tuyau B. Le deuxième inconvénient est la poignée de tirage, seulement accrochée sous la ceinture et sur la gauche du tricheur.

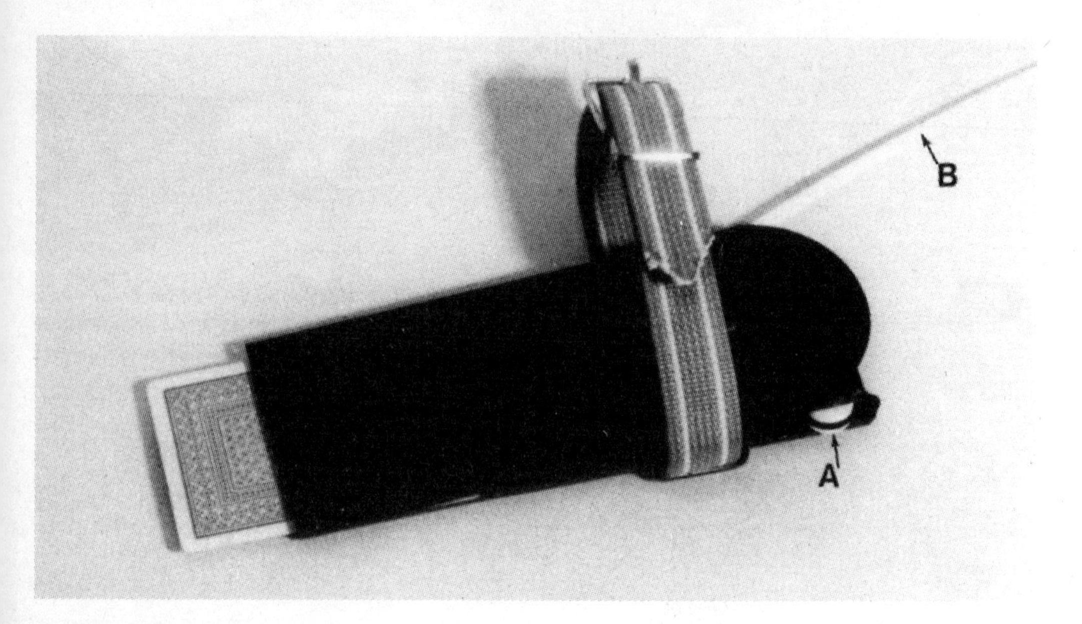

Fig. 32 Modèle simple de changeur déclenché par l'extension du bras. Le fil passant par la poulie A est conduit par le tuyau B jusqu'à la ceinture.

4. (Fig. 33). Ce système est beaucoup plus moderne et pratique. La pince extensible permet de tenir facilement plusieurs cartes. Le fil permettant la commande se fixe à l'emmanchure du bras gauche par un petit appareil très ingénieux (fig. 34). Avant la partie, le tricheur a toute liberté de mouvements car le fil est long, étant retenu par la perle A. Au moment d'agir, le tricheur place sa main droite sous sa veste et à gauche comme pour prendre son portefeuille. Il en profite pour tirer sur le fil en tenant la perle A. La deuxième perle métallique B passe dans l'appareil et se retrouve coincée par le ressort C. Maintenant, il suffit de tendre légèrement le bras droit pour obtenir l'extension de la pince tenant les cartes. En relâchant cette tension du fil, la pince revient tranquillement dans sa cachette.

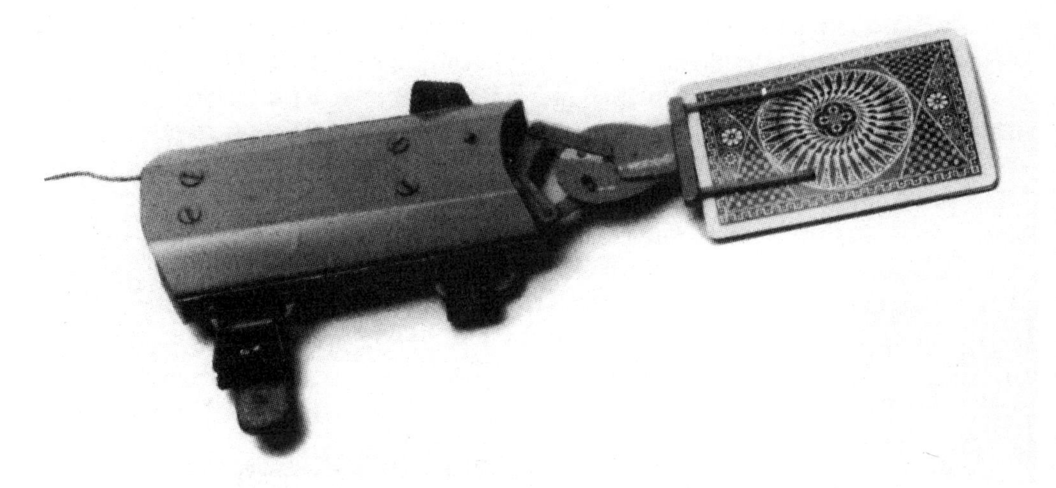

Fig. 33 Modèle perfectionné de changeur de cartes. Le système d'extension est pratique et entièrement silencieux.

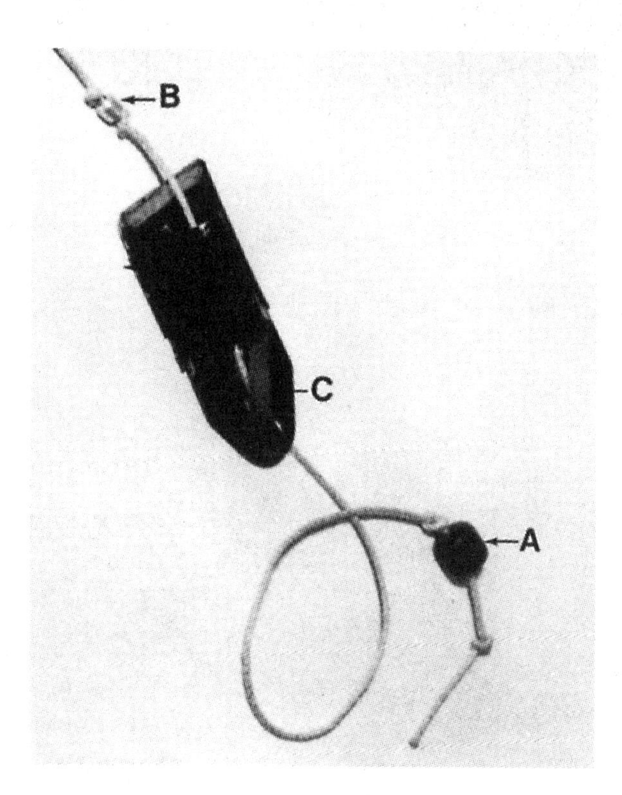

Fig. 34 Système de fixation du cordon sous l'emmanchure gauche, permettant toute liberté de mouvement avant le trichage. Au moment voulu, le tricheur tire secrètement sur A. La perle B passe sous le ressort C et y reste coincée.

5. (Fig. 35). Cet appareil présente la particularité d'être commandé par les jambes du tricheur. La première partie comportant la pince extensible est fixée à l'avant-bras droit. Le câble de commande aboutit à une poulie C, fixée par la lanière B, à la cuisse droite, près du genou. Le fil sort à travers la couture du pantalon et doit être raccroché, avant la partie, au crochet D fixé par la lanière E, à la cuisse gauche. Bien entendu, la couture du pantalon doit être ouverte sur deux centimètres. Pour éviter cela, certains tricheurs emploient un petit système très ingénieux cousu à l'intérieur du pantalon (fig. 36). Le fil doit alors être terminé par une perle. Il suffit d'appuyer en A et en B pour écarter l'appareil. Le tricheur place la perle au milieu et à travers le tissu puis relâche sa pression. Le ressort coince alors la perle. Lorsqu'on écarte légèrement les jambes, les cartes gagnantes sont propulsées vers la main droite.

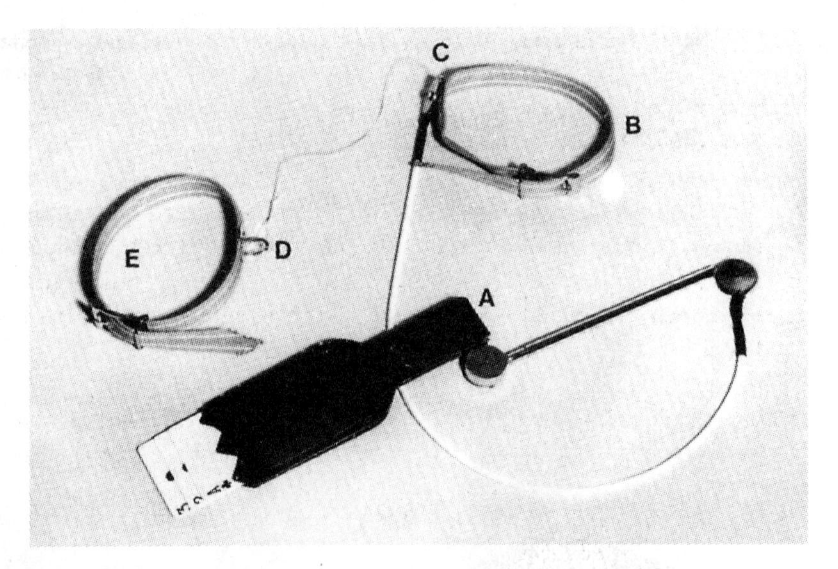

Fig. 35 Changeur de cartes commandé par l'écartement des jambes. Le fil de tirage part de A et aboutit au crochet D en passant par la poulie C. La courroie E est fixée à la jambe gauche et B à la jambe droite

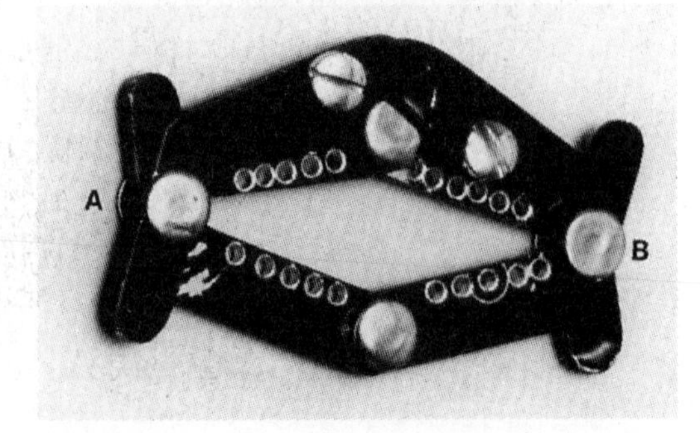

Fig. 36 Système de fixation à ressort qui permet de coincer une perle (terminant un fil de tirage) à travers le pantalon, simplement en pressant A et B pour l'ouvrir.

6. Cette pince à ressort possède un poids relativement assez lourd (fig. 37). Le tricheur peut ainsi y attacher une cordelette passant dans la manche droite dont l'autre extrémité est fixée à l'avant-bras gauche. Une extension des bras fait remonter l'appareil le long du bras.

Fig. 37 Pince à poids descendant d'elle même dans la manche pour apporter ses cartes et permettre un échange.

2. Les distributeurs de cartes gagnantes

Ces appareils sont, pour la plupart du temps, une création personnelle de la part de chaque tricheur. Ils constituent des réservoirs secrets de cartes utiles. Certains ne permettent d'obtenir que quelques cartes, d'autres, un jeu entier. C'est la raison pour laquelle il faut compter les cartes au risque de vexer les autres joueurs.

1. (Fig. 38). Ce classeur cartonné contient la moitié du jeu dans un ordre convenu. Les volets de gauche correspondent aux comparti-

Fig. 38 Classeur à cartes, chaque volet correspond à un compartiment de cartes classées

ments de Trèfle, ceux de droite aux compartiments de Pique. Il est placé en poche intérieure droite et la main gauche ira empalmer la carte désirée. Un classeur identique en poche gauche comprendra les Carreaux et les Cœurs.

2. (Fig. 39). Cet appareil très simple se pique sous la table par la pointe A, en appuyant la tige B fortement contre le bois. Le tricheur coince en B, avant la partie, les cartes supplémentaires dont il risque d'avoir besoin.

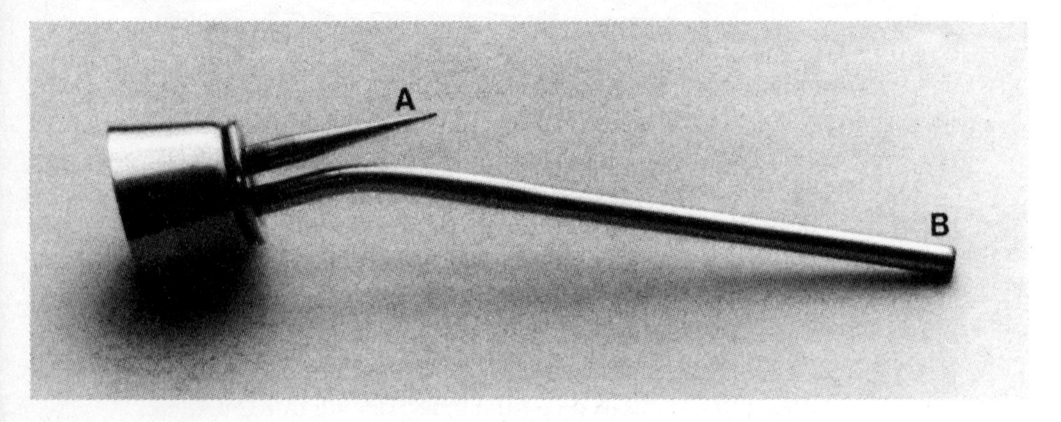

Fig. 39 Accessoire se piquant sous la table grâce à la pointe A pour y coincer des cartes en B.

3. (Fig. 40). Ce chargeur permet d'obtenir un jeu entier dans son étui. Il est accroché par deux épingles de sûreté (face cachée A) à l'intérieur de la veste du tricheur. Une simple pression en B libère le paquet de cartes préparées dont on a besoin afin de le changer contre le jeu normal.

Fig. 40 Chargeur de paquet entier, fixé au bas d'une veste par une épingle de la face cachée A et lâchant son jeu dans la main du tricheur si l'on appuie sur B.

Remarque importante : Un jeu nouveau est froid par rapport aux cartes ayant déjà servi. Le tricheur emploie souvent un complice dont le seul travail consiste à chauffer les cartes en les tenant et les frottant assez longtemps, tout en discutant avant de les remettre en circuit.

3. Les sabots obéissants

Les polices du monde entier ont saisi des sabots truqués lors de l'arrestation de croupiers malhonnêtes ayant exercé dans divers casinos et cercles. Trois modèles ont retenu notre attention. Le premier retient à volonté la première carte en laissant sortir la deuxième à sa place. Un autre sabot spécial contient un contrepoids creux qui peut s'ouvrir à volonté pour laisser sortir une séquence toute prête au moment de placer les cartes dans le sabot. Le dernier est le plus sophistiqué car la séquence supplémentaire est contenue dans le support plat et métallique. La main droite du tricheur s'approche normalement pour sortir une carte mais sa main gauche appuie sur une vis spéciale qui déclenche la sortie automatique de cartes préparées à l'avance (fig. 41). Pour être bien certain qu'on ne voit pas cette substitution, le tricheur demande souvent à un complice de poser des jetons ou un billet de banque assez brusquement pour créer une diversion.

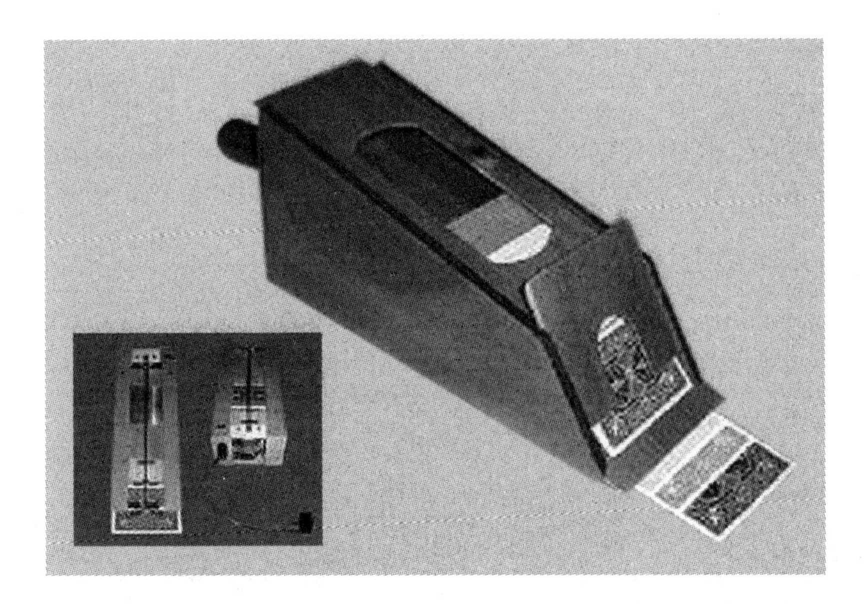

Fig. 41 Sabot truqué et son mécanisme.

V – ÉLECTRONIQUE COMPLICE

Pour la plupart des jeux, le tricheur a intérêt à pouvoir correspondre avec un complice, que ce soit un autre joueur ou simplement un observateur placé derrière le « pigeon ». S'il peut en effet connaître les cartes d'un adversaire, sa tactique sera grandement facilitée. Les cartes du partenaire étant connues, la victoire paraît sans problème. Mais n'oublions pas que le tricheur doit être avant tout un très bon joueur, afin de savoir profiter de son avantage secret.

Au début du siècle, les tricheurs se transmettaient leurs informations par des positions de leurs mains par rapport aux cartes ou sur leur visage. Un système simple et quasiment indétectable consistait en un fil noir attaché aux pieds des tricheurs en début de partie. Quelques secousses indiquaient en « morse » les cartes.

Les Emetteurs-récepteurs ont pu être miniaturisés et incorporés à beaucoup d'accessoires. Leur fabrication est très souvent unique mais on trouve aussi quelques systèmes produits en série.

1. Orteil et montre

Il est si important de pouvoir transmettre son jeu à un complice que de nombreux systèmes émetteurs-récepteurs ont été créés à cet effet. Pour éviter de se servir des mains ou du visage pour une quelconque action, un ingénieux mécanisme concerne le mouvement du pied. Il suffit d'une légère pression du gros orteil sur le contact placé au fond de la chaussure, pour actionner un émetteur fixé à la jambe (fig. 42). Le récepteur est, lui, incorporé à une montre déclenchant des vibrations selon l'émission des signaux (fig. 43). Il suffit aux deux tricheurs de s'être mis d'accord sur un code simple. Ce système est facile d'application et très efficace.

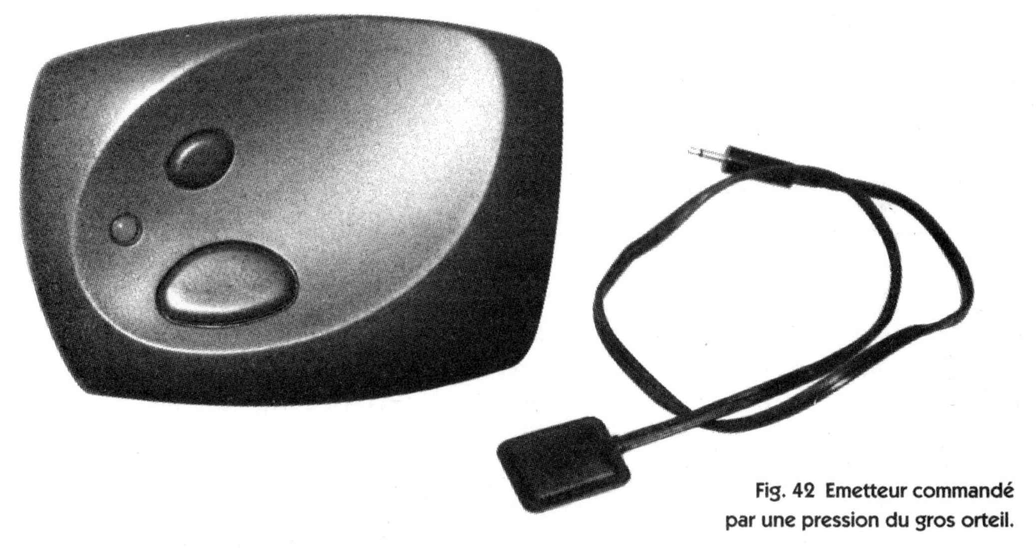

Fig. 42 Emetteur commandé par une pression du gros orteil.

Fig. 43 Récepteur incorporé dans une montre vibrante.

2. Caméras infrarouges

Les tournois popularisés par la télévision ont fait découvrir les minis caméras incrustées dans le rebord des tables. Cela permet au téléspectateur de connaître le jeu de chaque joueur afin de mieux suivre sa stratégie. Ce qui, par contre, est moins connu, concerne la version infrarouge de ces caméras. Elles permettent de voir à travers la paroi en matériau spécial, imitant le cuir mais ne résistant pas à la vision infrarouge (fig. 44). Un émetteur télé caché dans la table permet d'envoyer les images à un observateur secret installé dans une pièce proche. Celui-ci n'aura qu'à regarder ses écrans et à conseiller le tricheur. Il peut lui transmettre les informations à l'aide de différents systèmes électroniques mais le nec plus ultra reste celui des récepteurs intracrâniens. (Voir plus loin, paragraphe 5).

Fig. 44 Caméra infrarouge incorporée dans le rebord de la table.

3. Cigare euphorisant

Ce cigare renferme un système électronique permettant l'ouverture d'une capsule de gaz comprimé (fig. 45). Il suffit de serrer les dents pour enclencher le « contact ». Le gaz utilisé est un dérivé du protoxyde d'azote (produit employé à forte concentration par les anesthésistes). L'application est très efficace. Au moment de tenter un « gros coup », quelques éjections de gaz permettront de rendre les autres joueurs insouciants. Ils se trouveront en quelques mi-

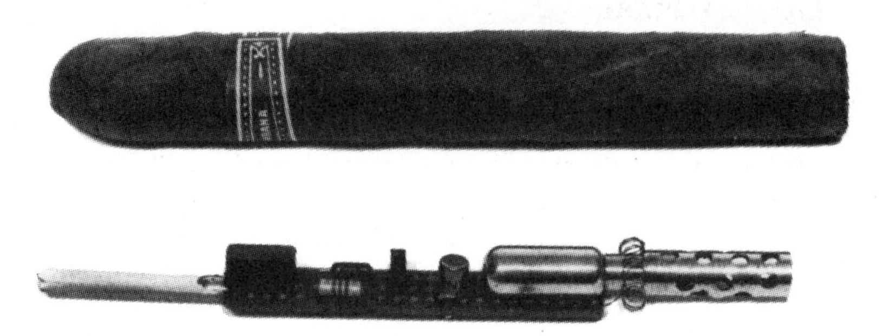

Fig. 45 Cigare euphorisant. Idéal pour supprimer la méfiance des autres joueurs.

nutes si détendus qu'ils joueront en toute confiance, sans qu'aucun soupçon ne les effleure. Une simple pilule antidote, avalée une heure avant, permet au tricheur de ne pas subir, lui-même l'effet du gaz.

4. Puces et scanners

Ces cartes contenant des puces électroniques sont maintenant fabriquées de façon quasi industrielle. Une puce électronique est incorporée à chaque carte du jeu (fig. 46). Elle permet son repérage parfait grâce à un mini scanner (fig. 47). Celui-ci peut être caché sous la table ou posé par terre à côté d'une chaussure. Le tricheur peut aussi le poser sur son genou (sous le pantalon). Il est fixé par une bande élastique et se glisse ensuite sur le côté intérieur de la cuisse pour éviter une protubérance à la hauteur du genou qui se ferait vite remarquer.

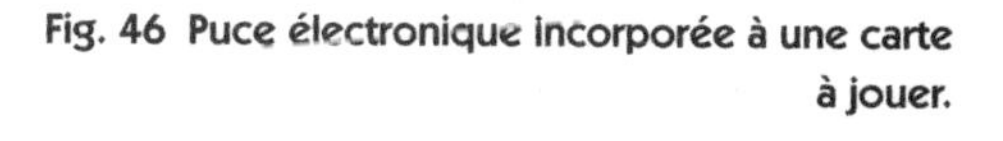

Fig. 46 Puce électronique incorporée à une carte à jouer.

Fig. 47 Scanner permettant le repérage de chaque carte à jouer.

5. Récepteurs intracrâniens

Un joueur soupçonné de trichage, pouvant toujours être soumis à une fouille systématique, les tricheurs ont intérêt à subir une intervention chirurgicale permettant de loger à l'intérieur de leur boîte crânienne un récepteur miniaturisé. Un chirurgien spécialisé m'en a confié les détails, sans m'indiquer toutefois les tarifs d'une telle intervention certainement pas encore prise en charge par la Sécurité Sociale.

A. Bilan pré-opératoire

Après le bilan biologique inhérent à toute intervention chirurgicale, on pratique des radiographies et des scanners de l'oreille moyenne et de l'oreille interne permettant de localiser la région la plus favorable à la mise en place du récepteur. Toute otite chronique ou suppuration auriculaire sont des contre-indications formelles.

Le récepteur est stérilisé préalablement depuis dix jours à la vapeur de formol ainsi que ses composants électroniques et ses circuits imprimés (fig. 48).

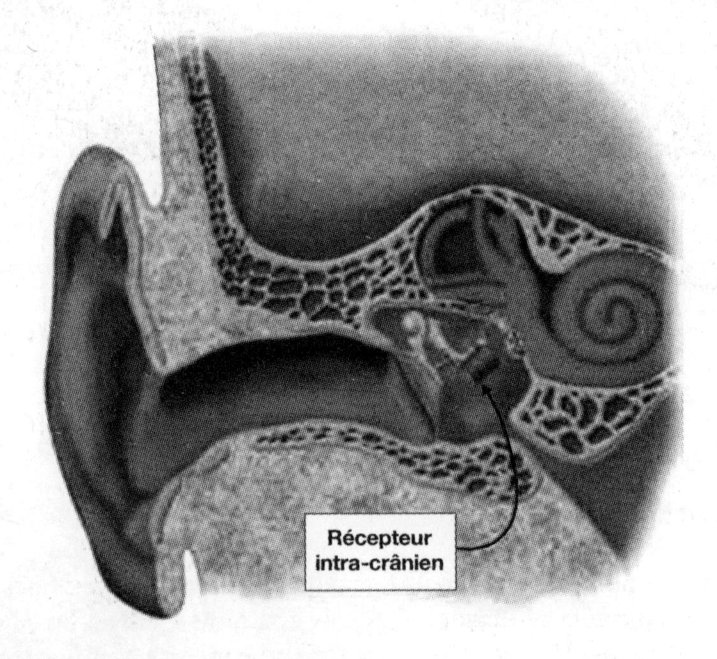

Fig. 48 Position dans l'oreille interne.

B. Intervention

Le patient est anesthésié au penthoral-curare-oxygène avec intubation trachéale. Le chirurgien pratique une incision sus et rétro auriculaire, qui lui permet de décoller et de décliner vers le bas le pavillon de l'oreille grâce à un récepteur orthostatique (fig. 49). Le chirurgien trépane alors la face externe de la mastoïde du patient à la fraise électrique pour y créer une loge ayant les dimensions exactes de la prothèse intracrânienne. Celle-ci est alors mise en place. Son fonctionnement est vérifié. L'oreille est ensuite suturée dans sa position initiale avec un fil de nylon très fin qui donnera en un mois une cicatrice totalement invisible.

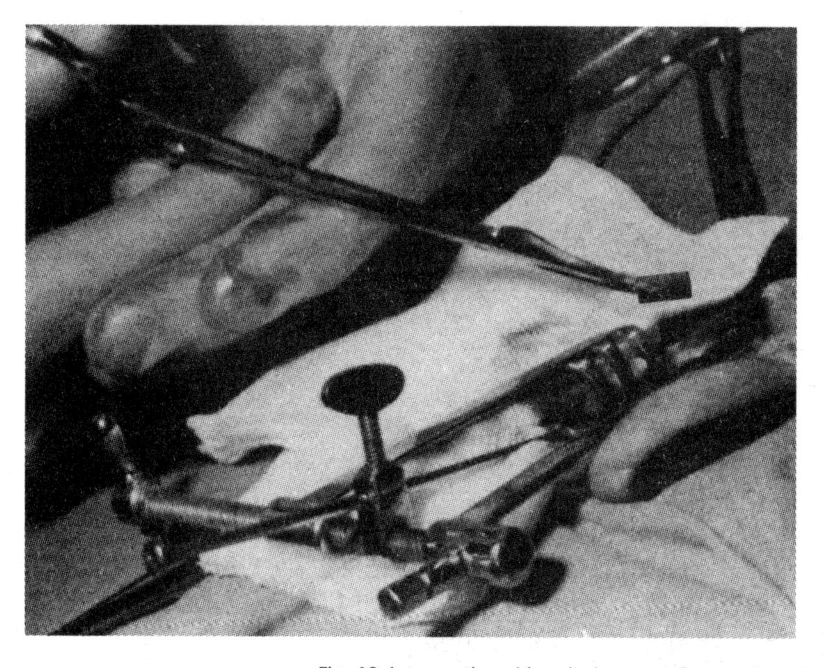

Fig. 49 Intervention chirurgicale pour mise en place du récepteur.

C. Changement des piles

Ainsi que pour le « pacemaker », dispositif électronique plus répandu (chirurgie cardiaque), il est nécessaire de changer les piles tous les dix ans. Une anesthésie locale et une incision minime sont suffisantes. Il n'y a même pas besoin d'hospitalisation.

VI – MANIPULATIONS À L'APPUI

En espérant repérer chez des joueurs malhonnêtes le mouvement anormal qui les trahit, je me suis rendu compte de l'énorme difficulté que cela représentait, en raison du nombre infini des manipulations existantes. En effet, chaque tricheur adapte des mouvements classiques, les combine d'une façon nouvelle et souvent invente lui-même un mouvement qui sera ainsi plus adapté à ses mains. Les caractéristiques anatomiques de chaque « aspirant tricheur » sont très importantes dans le choix d'un mouvement.

J'ai surtout respecté ma promesse à de très grands tricheurs m'ayant aidé dans mon travail de ne pas révéler quelques splendides mouvements dont ils se servent encore maintenant.

Ces manipulations peuvent se combiner à l'infini entre elles ainsi qu'avec les truquages déjà étudiés. L'explication de toutes les combinaisons principales demanderait des milliers de pages. Les plus courantes sont montrées dans leur application au chapitre : « Tricheurs de génie ». À chaque manipulation, je me contenterai d'indiquer l'utilité la plus directe du mouvement. Il s'agit avant tout de vous permettre de les repérer.

1. Les faux mélanges

A. Utilité

Ce sont des mélanges qui paraissent normaux mais qui permettent au tricheur de classer les cartes selon ses besoins ou de conserver intact l'ordre initial.

Bien entendu, un tricheur a intérêt, lorsqu'il effectue lui-même les mélanges, à faire gagner un complice afin de ne pas attirer les soupçons.

B. Description

Mélanges dits « à l'américaine »

1er mouvement (fig. 50)
Coupez la partie supérieure du jeu avec la main gauche et posez la à gauche du paquet inférieur. Les pouces relâchent progressivement les deux paquets de manière à laisser les cartes s'imbriquer les unes dans les autres. Le pouce gauche a laissé tomber ses cartes plus lentement de façon à conserver intact le haut du paquet. Un tricheur expérimenté peut conserver à coup sûr le nombre de cartes qu'il désire. Plusieurs répétitions de ce même mouvement permettent donc de conserver inchangé l'ordre des cartes dans la partie supérieure du paquet.

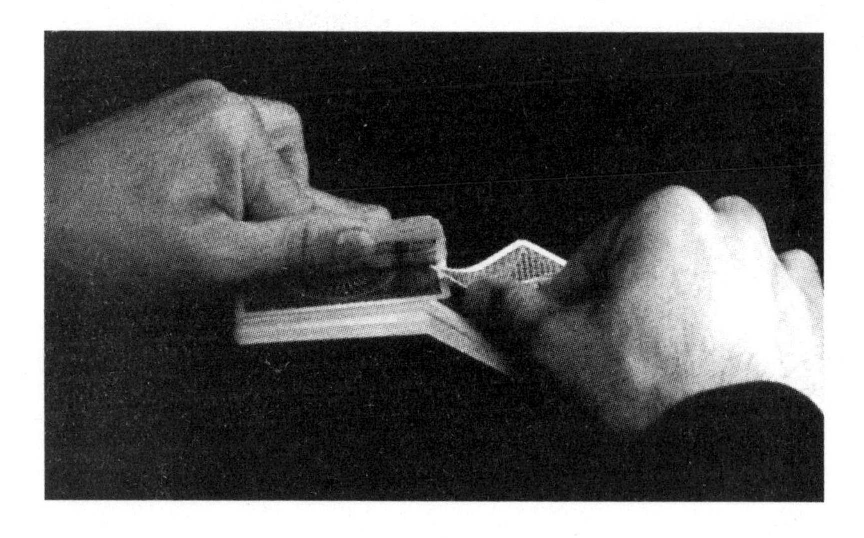

Fig. 50

2e mouvement (fig. 51)

Coupez la partie supérieure du jeu avec la main droite et posez-la à droite du paquet inférieur. Le pouce gauche laisse d'abord tomber plusieurs cartes en bloc, puis les deux pouces continuent le mélange normalement. Plusieurs répétitions de ce même mouvement permettent donc de conserver inchangé l'ordre des cartes dans la partie inférieure du paquet.

3e mouvement

Coupez la partie supérieure A du jeu avec la main gauche et posez-la à gauche du paquet inférieur B (fig. 52). Imbriquez les cartes les

Fig. 51

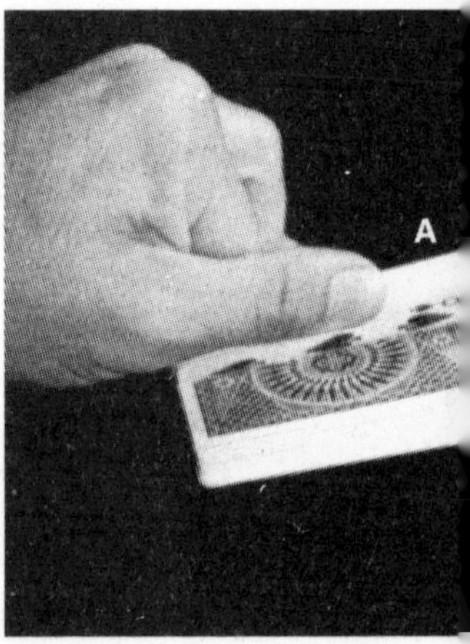

Fig. 52

Fig. 54

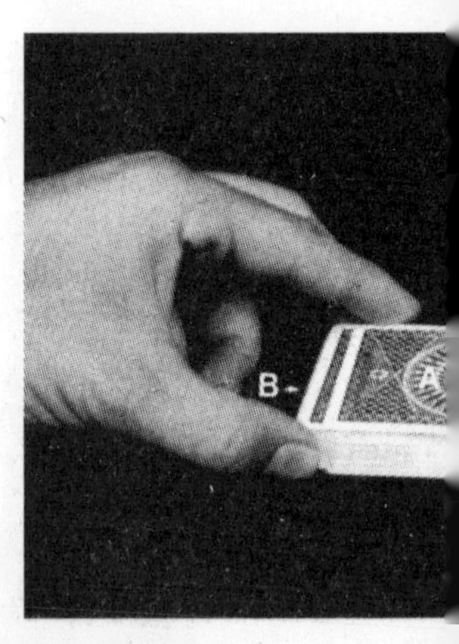

Fig. 55

unes dans les autres à l'aide des pouces. Rapprochez la main gauche de la main droite tout en maintenant le demi paquet A (fig. 53). Dans un même mouvement, la main gauche lâche le paquet A pour saisir les coins du paquet B et la main droite lâche le paquet B pour saisir les coins du paquet A (fig. 54). Faites pivoter les deux paquets de façon à les placer sur la même ligne pour donner l'illusion d'un jeu égalisé. Les doigts de chaque main cachent les bouts de cartes dépassant de chaque côté (fig. 55).

La main droite entraîne le paquet A vers la droite, le sort du paquet B et le replace sur le paquet B (fig. 56). L'ordre initial de toutes les cartes est alors établi.

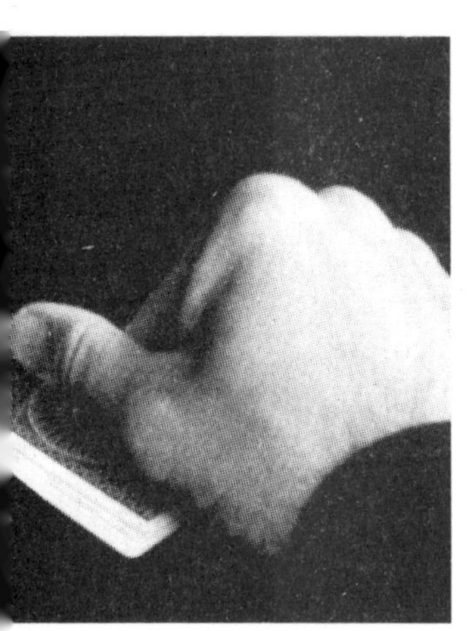

Fig. 53

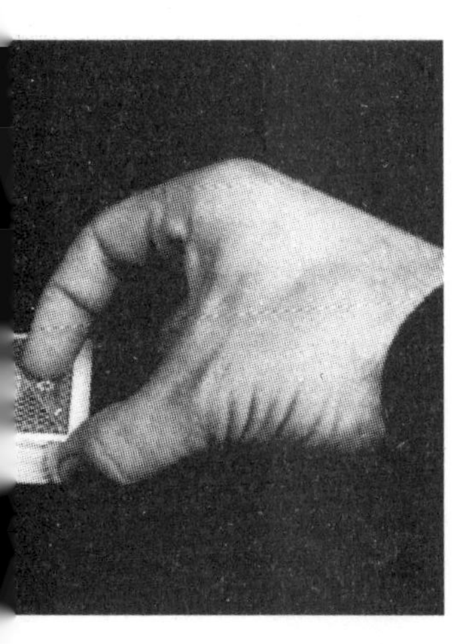

Fig. 56

Mélanges dits « français »

1er mouvement

Il s'agit d'un mélange classique où la main gauche saisit successivement une ou plusieurs cartes à l'aide du pouce. Lorsque la carte recherchée (pour sa valeur ou parce qu'elle marque le début d'une série) arrive sur le paquet gauche, vous devez la décaler vers vous d'environ un centimètre (fig. 57). Continuez à mélanger normalement (fig. 58). La carte dépassera suffisamment pour pouvoir couper à cet endroit.

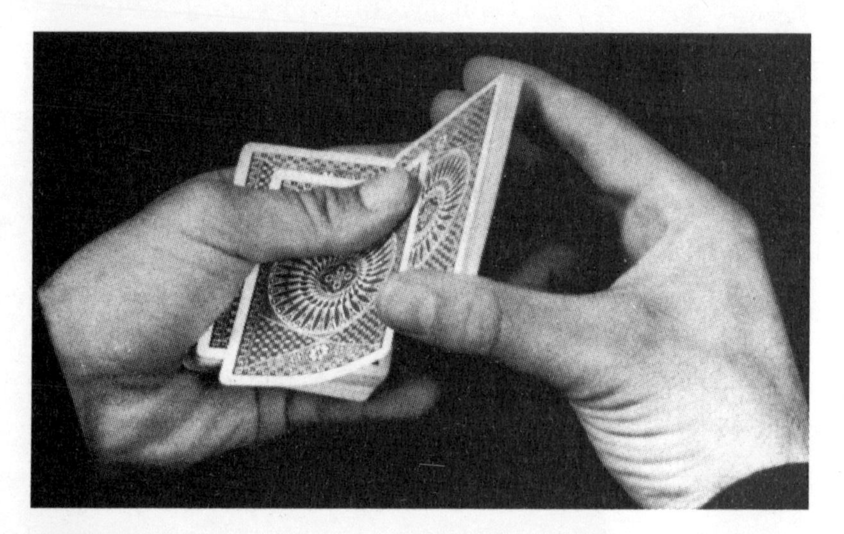

Fig. 57

Fig. 58

2e mouvement

Le pouce gauche saisit la première carte (fig. 59), puis saisit un petit paquet qui tombe ainsi sur cette première carte (fig. 60). Vous devez continuer de la même façon pour le reste du jeu. La carte supérieure sera alors passée sous le jeu. Si vous désirez la ramener audessus, il suffit de recommencer ce mélange en déposant les dernières cartes une par une.

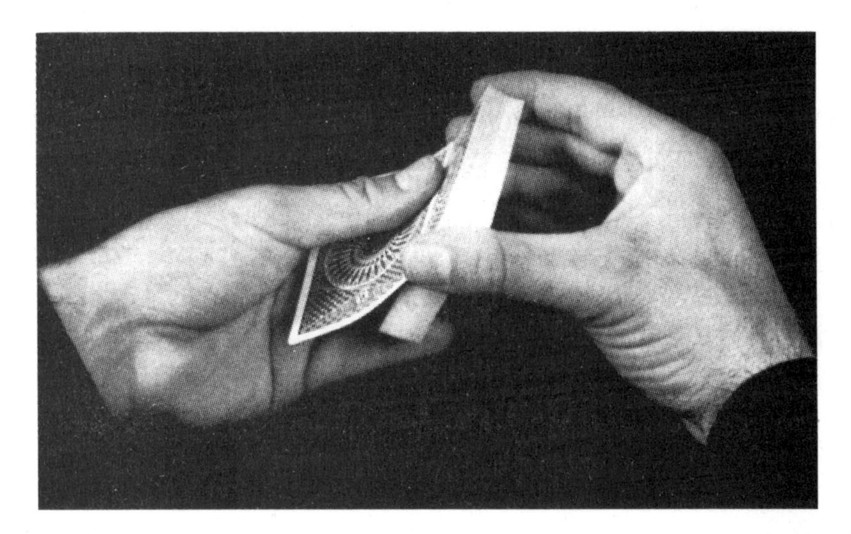

Fig. 59

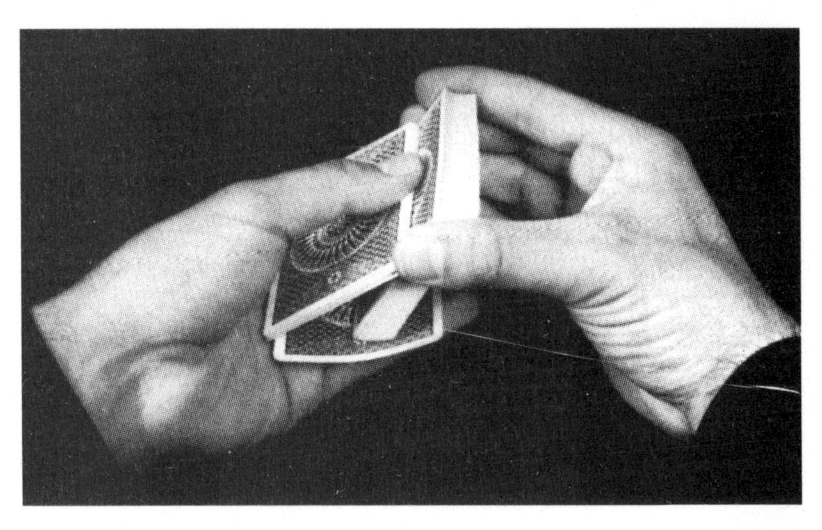

Fig. 60

3e mouvement : « **dessus dessous** »

La main gauche saisit simultanément deux cartes. Celle du dessus avec le pouce et celle du dessous, secrètement avec le majeur (fig. 61). Ce mélange permet très facilement de préparer le jeu en vue d'un trichage. Prenez, par exemple, cinq cartes de Pique : 10, Valet, Dame, Roi et As et placez-les sous le jeu.
Effectuez la prise « dessus dessous », puis prenez trois cartes seulement au-dessus. Recommencez quatre fois de suite ces mêmes

Fig. 61

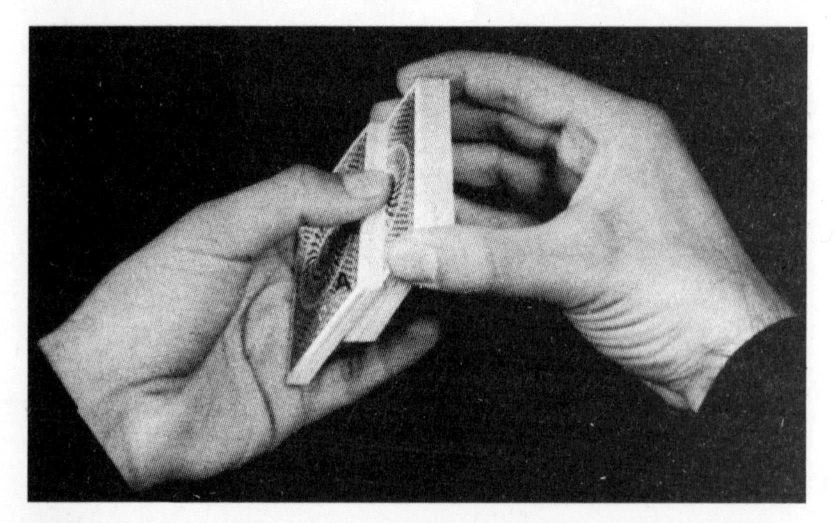

Fig. 62

opérations. Le « montage » est réalisé. Employez le premier mouvement « français » pour ramener ce paquet préparé au-dessus. Distribuez cinq mains de Poker. Vous obtiendrez la quinte « flush ».

4e mouvement

La main gauche saisit à l'aide du pouce un premier paquet A représentant le tiers du jeu environ (fig. 62). Le reste du jeu est ramené au-dessus du paquet A (fig. 63). La main droite bloque secrètement le paquet A (fig. 64). Le pouce gauche saisit une partie du paquet B

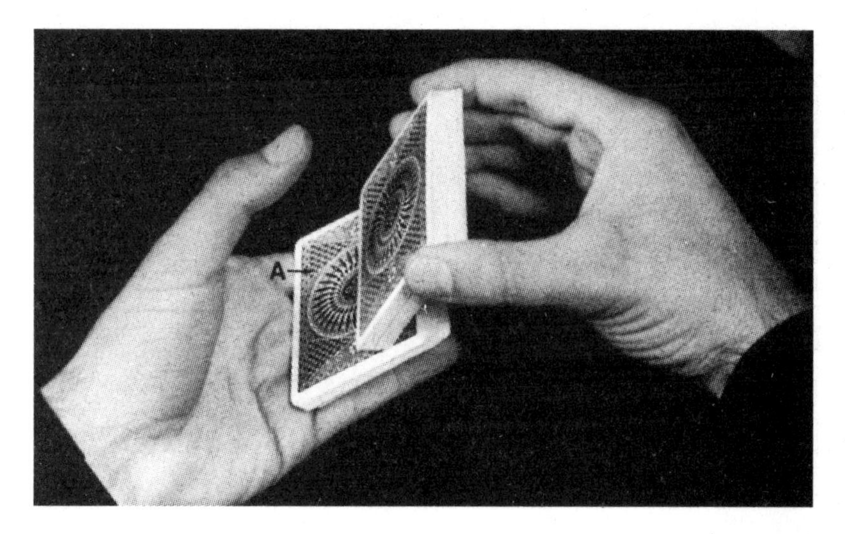

Fig. 63

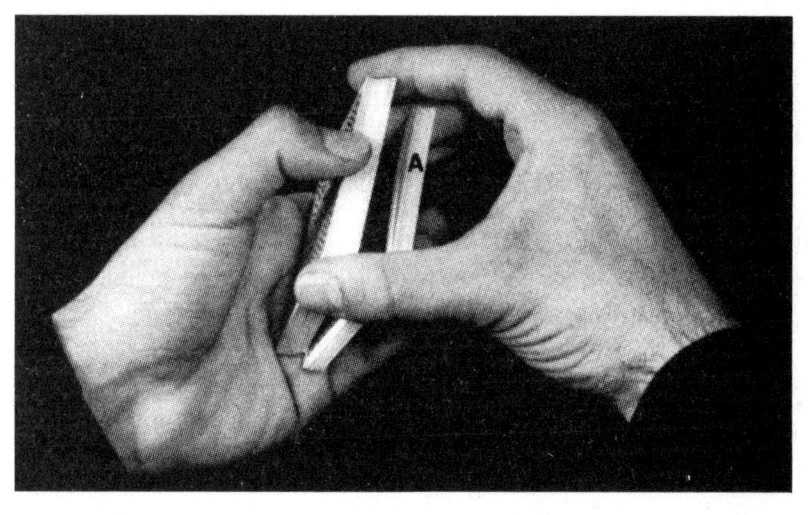

Fig. 64

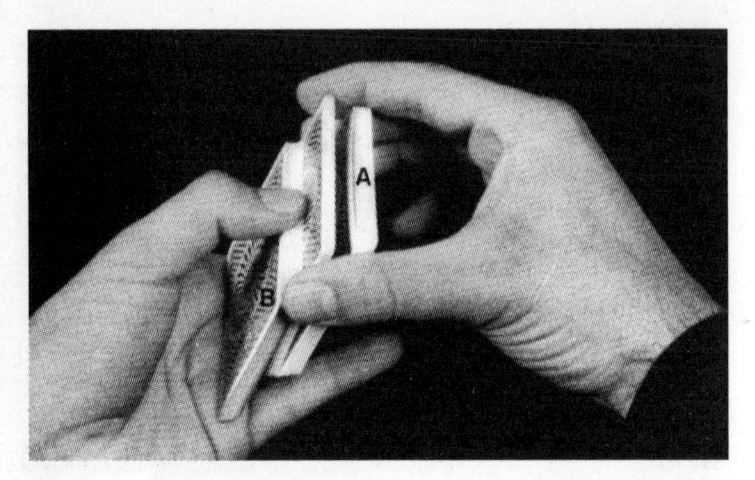

Fig. 65

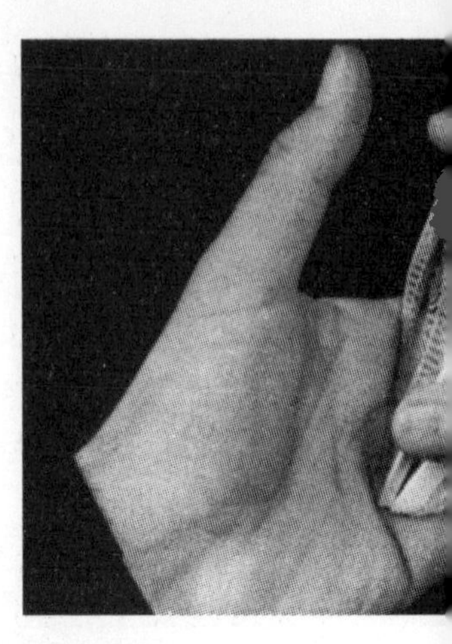

Fig. 66

représentant un autre tiers du jeu, pendant que la main droite élève les deux paquets (soit le reste du paquet B + le paquet A) (fig. 65). La main droite vient au-dessus du paquet B pour y déposer le paquet A (fig. 66). La main droite ne tient plus que le reste du jeu et va le placer sous AB (fig. 67). Ce mouvement doit s'effectuer rapidement pour que l'illusion d'un mélange normal soit parfaite.

Mélange parfait

Ce mélange est dit parfait car les cartes s'imbriquent une par une très exactement. Il faut couper le jeu au milieu et placer les deux moitiés bout à bout et pousser légèrement. Après un grand nombre d'essais, vous aurez la surprise de voir les cartes se placer d'elles-mêmes les unes dans les autres (fig. 68). Les tricheurs effectuent souvent ce mouvement en laissant les cartes sur table (fiig. 69).

Ce mélange « parfait » présente des particularités mathématiques étonnantes. Par exemple, une carte située au 6ème rang va passer au 12ème en un mélange dit « intérieur » (la 1ère carte passant 2ème), et au 24ème en deux mélanges et ainsi de suite. Il faut savoir que huit mélanges parfaits permettent de reformer l'ordre initial. Il faut seulement veiller à ce que la carte supérieure reste toujours la première au-dessus du jeu (mélange dit « extérieur »).

L'application la plus simple pour le Poker consiste à placer secrètement les quatre As sur le dessus du jeu. Il faut ensuite effectuer deux mélanges « intérieurs ». Une distribution de quatre mains vous attribuera automatiquement les quatre As.

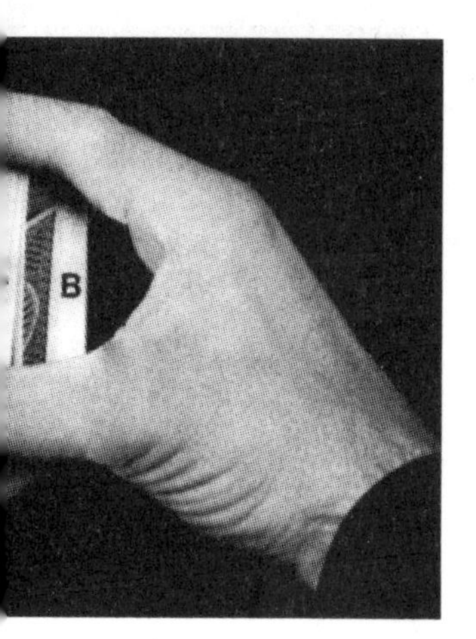

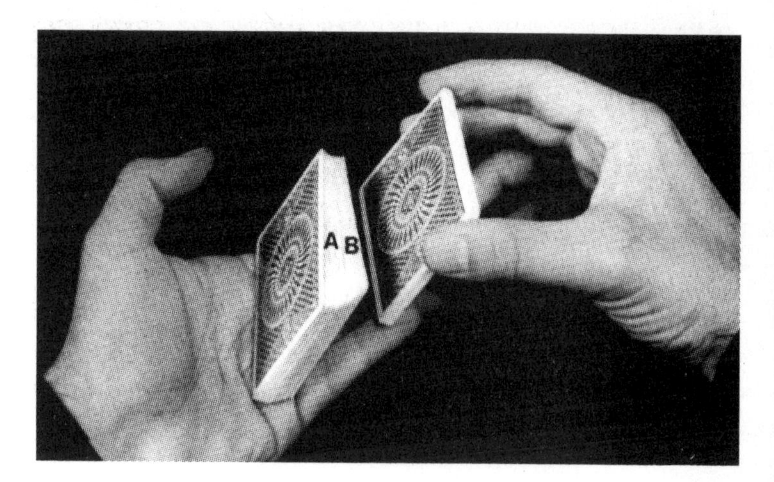

Fig. 67

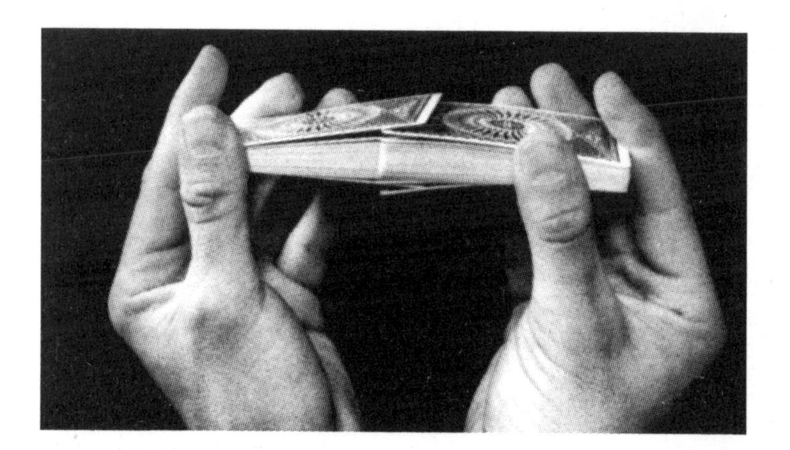

Fig. 68

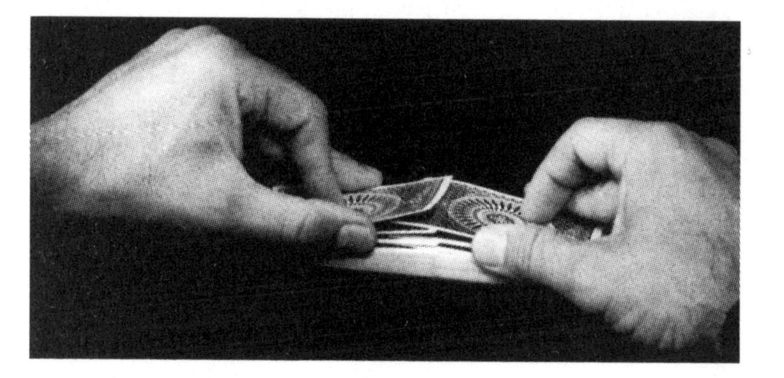

Fig. 69

Les appareils à mélanger les cartes ne sont pas truqués mais certains croupiers s'en servent comme d'un paravent pour changer un jeu venant d'être mélangé contre un autre.

C. Détection

Sont susceptibles de tricher :
- Les « distributeurs » essayant d'attirer votre attention vers une partie de la pièce pendant leur mélange, comme, par exemple, en désignant une serveuse qui a du charme.
- Les joueurs trop méticuleux dans la façon de placer les cartes les unes par rapport aux autres.
- Les joueurs acceptant difficilement que vous mélangiez les cartes après eux.
- Les joueurs cassant le rythme de leur mélange pour placer une ou plusieurs cartes sur le dessus.

Paraissent faux :
- Les mélanges se terminant par une coupe inutile.
- Les mélanges finissant d'une façon peu précise, les mains dissimulant trop les cartes.

2. Sauts de coupe

A. Utilité

Elle est évidente : il s'agit de rétablir la coupe effectuée par un autre joueur. Ainsi, le tricheur ayant mélangé le jeu peut, sans crainte, demander cette coupe. L'ordre des cartes préparé sera maintenu. Dès qu'il aura ramassé les deux paquets, il ne lui restera plus qu'à effectuer invisiblement un saut de coupe d'une main ou des deux mains. Le détournement d'attention doit être suffisamment important pour estomper ce mouvement.

B. Description

1er mouvement : **saut de coupe d'une main**

Les paquets ayant été ramassés par la main droite, ils sont placés l'un après l'autre dans la main gauche (le paquet B au-dessous, le paquet A au-dessus) qui maintient une ouverture entre les deux, le pouce tenant le paquet du dessus et les autres doigts bloquant le paquet du dessous (fig. 70). L'index et l'auriculaire se replient pour coincer le paquet B (fig. 71). Le pouce écarte le paquet A. Les autres doigts se déplient tout en maintenant le paquet B (fig. 72). Le pouce rabat le paquet A vers la paume de la main (fig. 73). Les doigts se referment de façon à poser le paquet B sur le paquet A. Le pouce se retire et vient bloquer le tout (fig. 74). L'index et l'auriculaire n'ont plus qu'à se retirer du milieu du jeu pour venir le tenir normalement au-dessus.

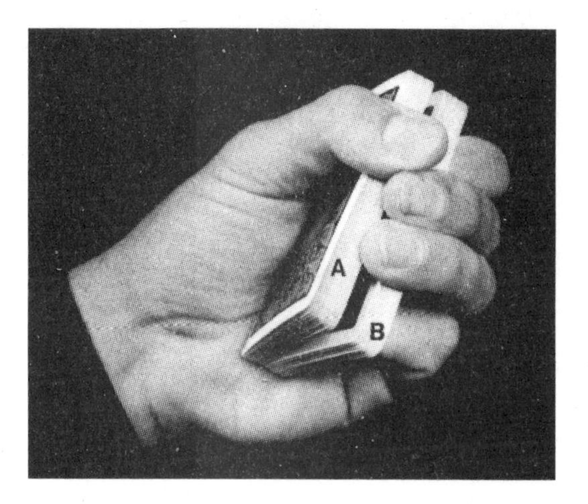

Fig. 70

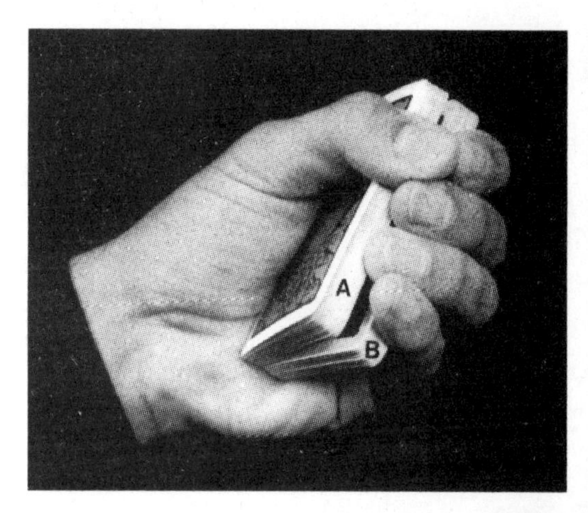

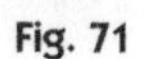

Fig. 71

Fig. 72

Fig. 73

Fig. 74

Fig. 75

Fig. 76

2ème mouvement : saut de coupe d'une main

Après le ramassage normal des deux paquets, le jeu est tenu en main gauche, entre le bout du pouce et le bout des autres doigts (fig. 75). Une carte étroite (ou large, ou biseautée, ou tuilée) permet au pouce de séparer de nouveau les paquets. Il faut lâcher la moitié inférieure du jeu A, qui tombe dans la paume. Le paquet B reste

Fig. 78

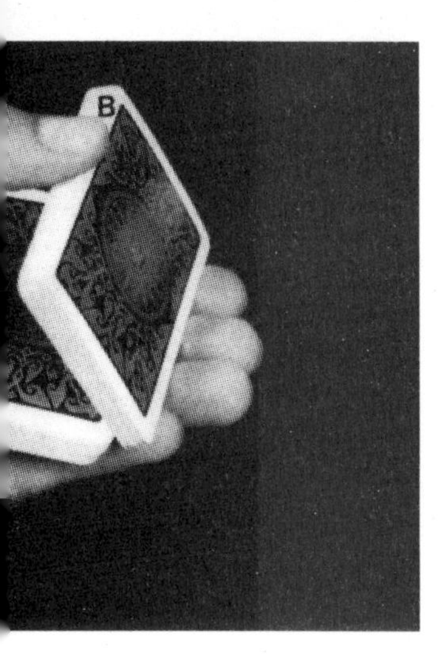

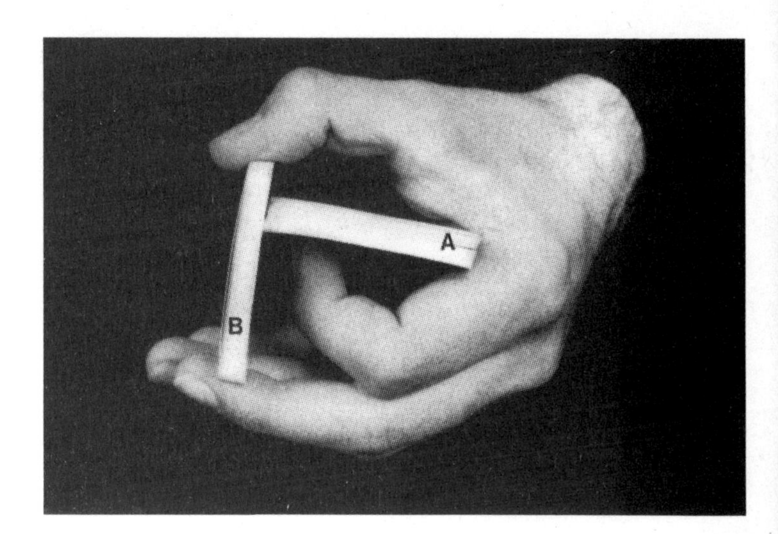

Fig. 77

maintenu en l'air (fig. 76) ; L'index soulève le côté du paquet A pour le faire pivoter (fig. 77, vue de face). Le mouvement se poursuit jusqu'à ce que le paquet B puisse tomber vers la paume (fig. 78). L'index se retire pour permettre au paquet B de s'abaisser complètement. Le pouce maintient légèrement le paquet A pour le replacer sur le paquet B (fig. 79).

Fig. 79

3ème mouvement : **saut de coupe à deux mains**

Les deux paquets sont ramassés l'un après l'autre par le tricheur et placés l'un après l'autre en main gauche. Le paquet A dessous, le paquet B dessus (fig. 80). L'auriculaire gauche se place entre les deux paquets, ce qui est un peu masqué par la main droite pour les autres joueurs (fig. 81). La main droite maintient bien le paquet A entre le pouce et les bouts des doigts. Les doigts de la main gauche se déplient, ce qui fait pivoter le paquet B, ceci sous couvert de la main droite (fig. 82). La main droite soulève le paquet A en le faisant pivoter (fig. 83). Les doigts de la main gauche se replient afin de ramener le paquet B en paume (fig. 84). La main droite n'a plus qu'à replacer le paquet A sur le paquet B.

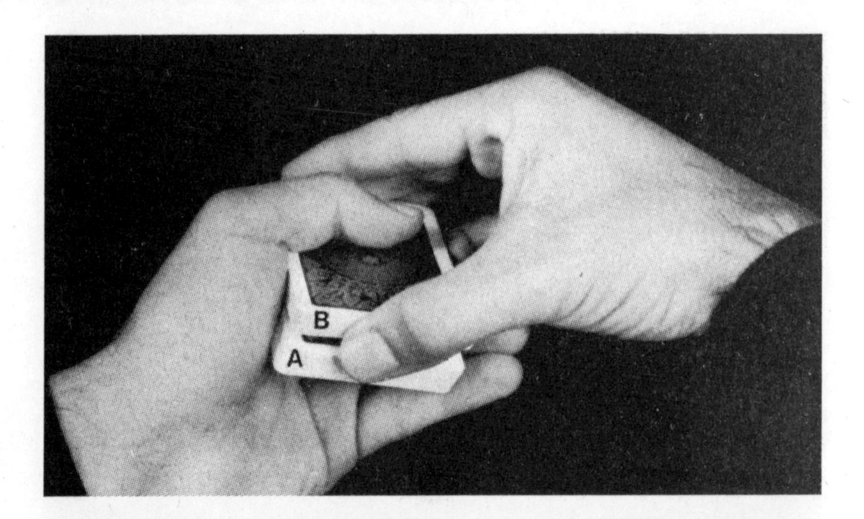

Fig. 80

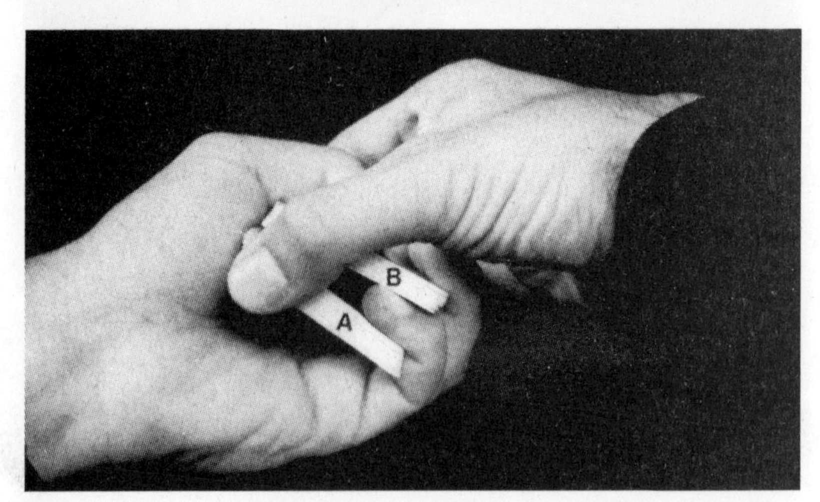

Fig. 81

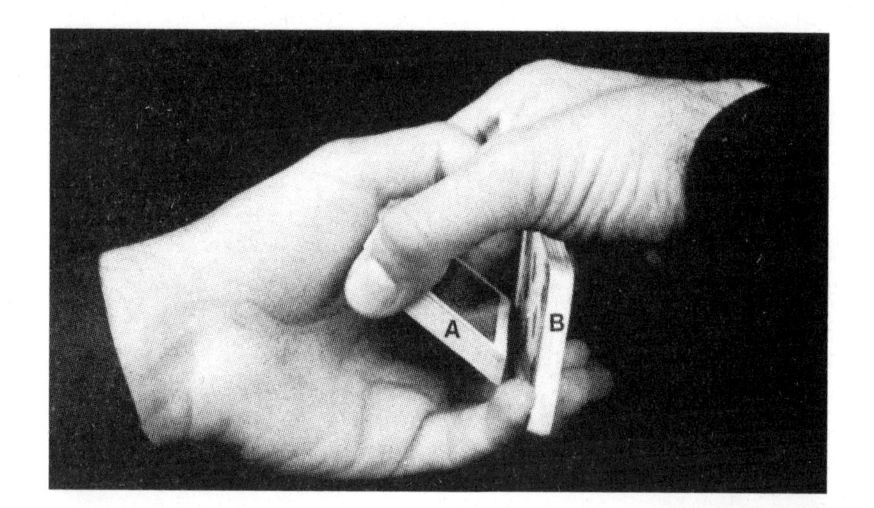

Fig. 82

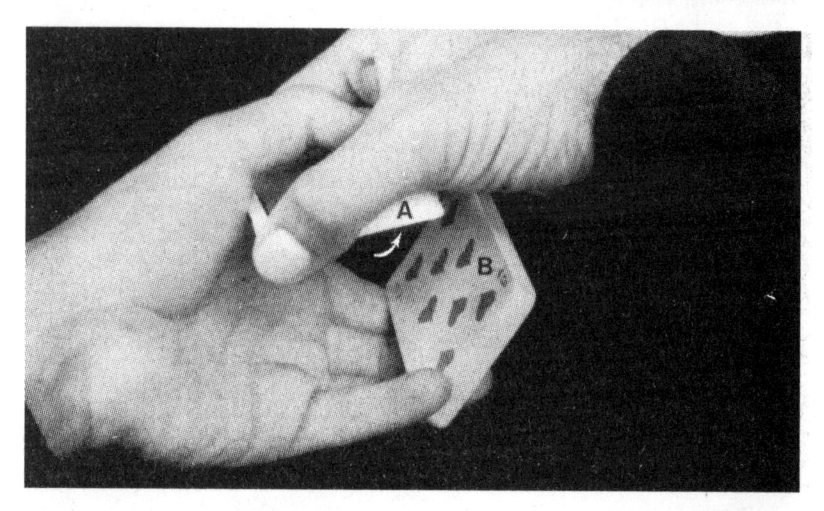

Fig. 83

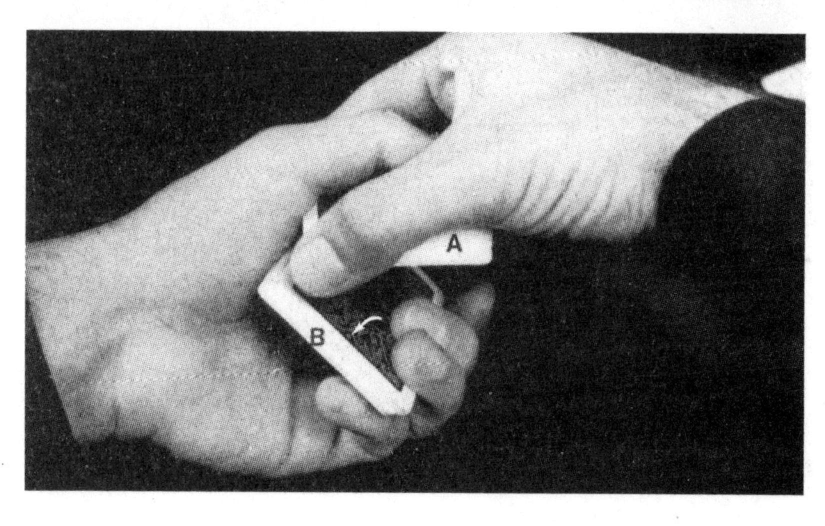

Fig. 84

Fig. 85

4ème *mouvement :* saut de coupe d'une main sur table

Ce saut de coupe est sans doute le plus efficace. La main droite saisit le paquet B et le pose sur le paquet A, tout en laissant un décalage (fig. 85). La main droite soulève les deux paquets, tout en effectuant le mouvement suivant : le pouce et l'index continuent à maintenir le paquet B tandis que les trois autres doigts (majeur,

Fig. 87

Fig. 86

annulaire et auriculaire) se replient pour bloquer à eux seuls le paquet A (fig. 86). Ces doigts soulèvent le paquet A pendant que le pouce et l'index se déplient afin d'abaisser le paquet B et de le glisser sous le paquet A (fig. 87). La main gauche se rapproche alors de la main droite sous prétexte d'égaliser le jeu et pousse le paquet B jusqu'à ce qu'il soit exactement sous le paquet A (fig. 88).

Fig. 88

5ème mouvement : saut de coupe idiot

On dit qu'il est idiot car il se fait tout seul. Pas de manipulation spéciale. Il faut seulement compter sur l'inattention des joueurs et effectuer ce mouvement d'une façon naturelle. Au lieu de ramasser normalement le paquet A, votre main droite doit se diriger vers le paquet B et le saisir (fig. 89). La main droite vient placer ce paquet B en main gauche (fig. 90). La main droite va ensuite saisir le paquet A pour le poser froidement sur le paquet B (fig. 91). Il faut exécuter ce mouvement machinalement. Si un joueur repère cette inversion, cela peut toujours passer pour de l'étourderie.

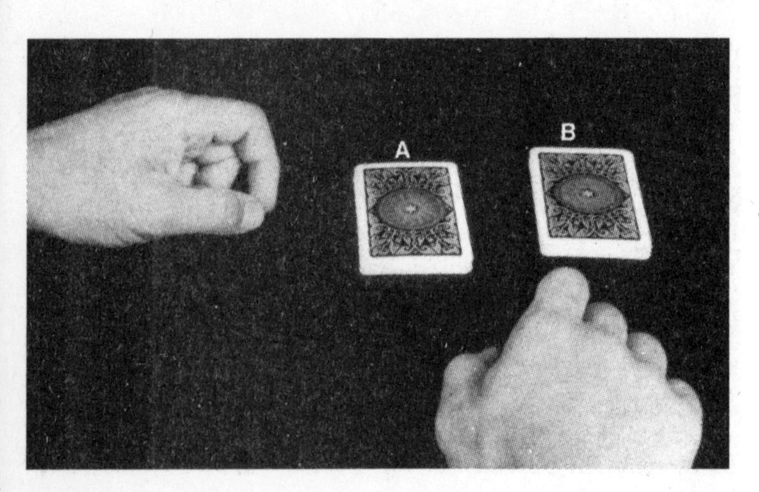

Fig. 89

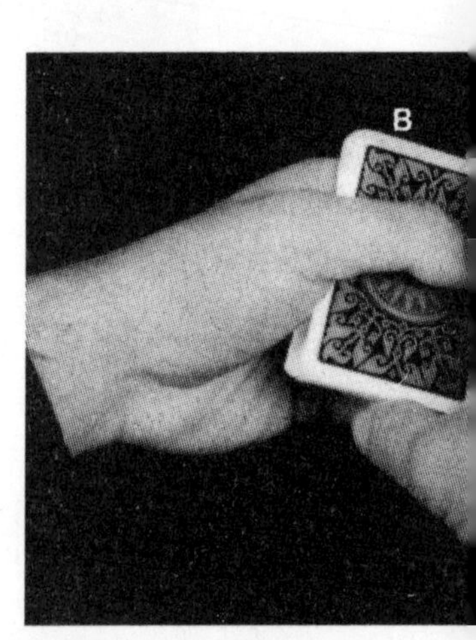

Fig. 90

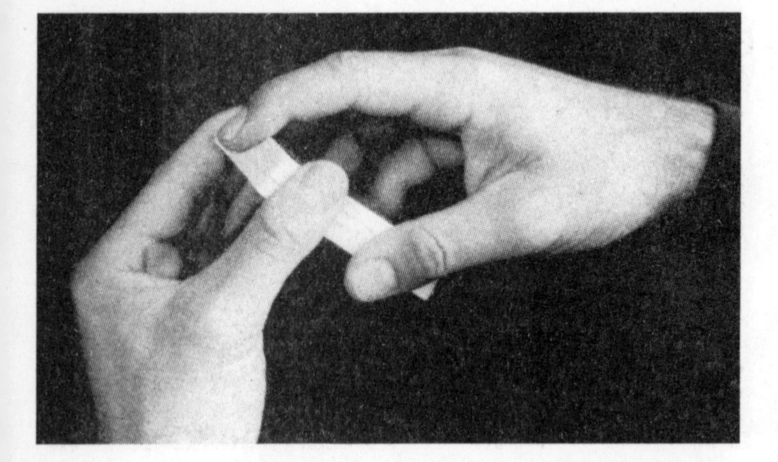

Fig. 92

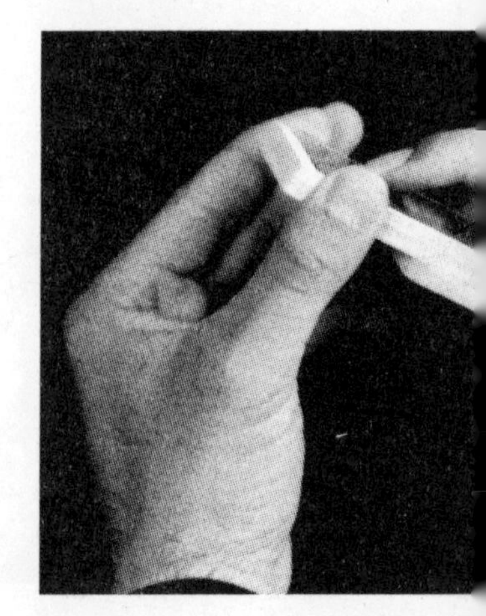

Fig. 93

6ème mouvement : la fausse coupe

Cette variante permet au tricheur de faire semblant de couper. Le joueur honnête ramassera normalement les paquets et rétablira en fait l'ordre des cartes préparé. Le jeu est tenu en main gauche. La main droite s'approche au-dessus, l'index ayant l'air de déterminer le paquet à couper (fig. 92). La main droite s'éloigne brusquement en saisissant un paquet au-dessous et tout en laissant l'index glisser sur le dessus du jeu (fig. 93). Si le mouvement est assez rapide, les joueurs doivent avoir l'impression que c'est un paquet du dessus qui vient d'être enlevé. L'illusion sera totale si l'index se rabat sur le bout du paquet comme au départ (fig. 94).

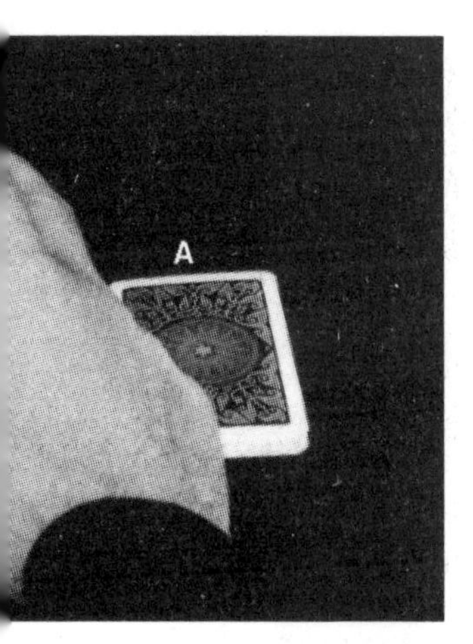

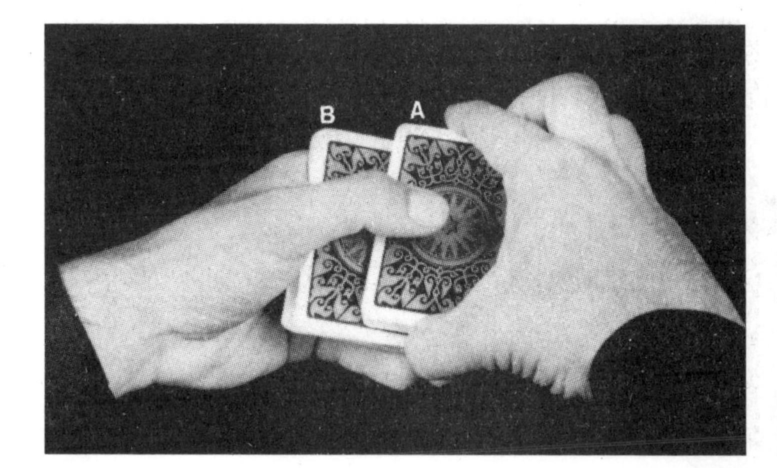

Fig. 91

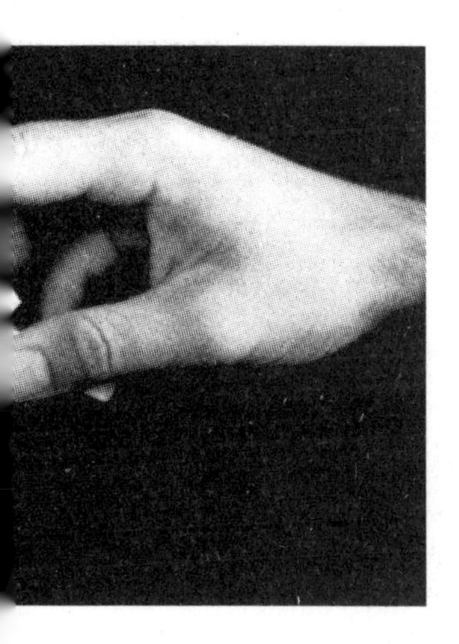

Fig. 94

C. Détection

- Il faut se méfier de toute distraction intervenant juste avant ou après une coupe (par exemple, le bruit d'un verre qui tombe ou d'une chaise qui glisse au point de déséquilibrer un joueur).

- Un mouvement de ramassage trop rapide est suspect.

- Un joueur venant de ramasser les deux paquets ne doit pas les garder cachés dans les mains.

- Les deux paquets ramassés et prêts à la distribution, aucun bruit suspect ne doit se produire : claquage ou effeuillage.

- Après le ramassage, le joueur distribuant les cartes ne doit pas marquer un temps d'arrêt trop long.

3. Le filage

A. Utilité

C'est le mouvement souverain pour donner de mauvaises cartes aux autres joueurs ou pour faire gagner ses complices. Le principe est simple. Au lieu de poser normalement la première carte, il faut glisser à sa place la deuxième, ou bien celle du dessous ou même une carte du milieu – ce qui évitera un saut de coupe. La plupart du temps, c'est le « marquage » des cartes qui permet au tricheur de décider quel mouvement il doit effectuer. La rapidité d'exécution d'un bon filage demande bien dix ans de répétitions.

B. Description

1er mouvement : **Donne en seconde**

La main gauche tient normalement le jeu, prête à la distribution (fig. 95). Lorsque la main droite s'approche, pouce et index prêts à saisir une carte, le pouce de la main gauche décale vers vous la première carte. Le pouce droit appuie sur le coin de la deuxième carte et la tire en avant (fig. 96). À peine est-elle un peu avancée que l'index droit vient la pincer contre le pouce pour la tirer complètement. Le pouce gauche rétablit la position normale de la première carte (fig. 97).

Fig. 95

Fig. 96

Fig. 97

Fig. 98

Fig. 99

2ème mouvement : **Donne en seconde**

Le jeu est décalé vers la droite et les deux premières cartes dépassent nettement (fig. 98). Le majeur de la main droite saisit par-dessous la deuxième carte et la fait glisser sous la première jusqu'à la faire dépasser à droite (fig. 99). La vue du dessous montre mieux la position des doigts (fig. 100). La main droite continue à tirer la deuxième carte pour la poser comme s'il s'agissait de la première (fig. 101).

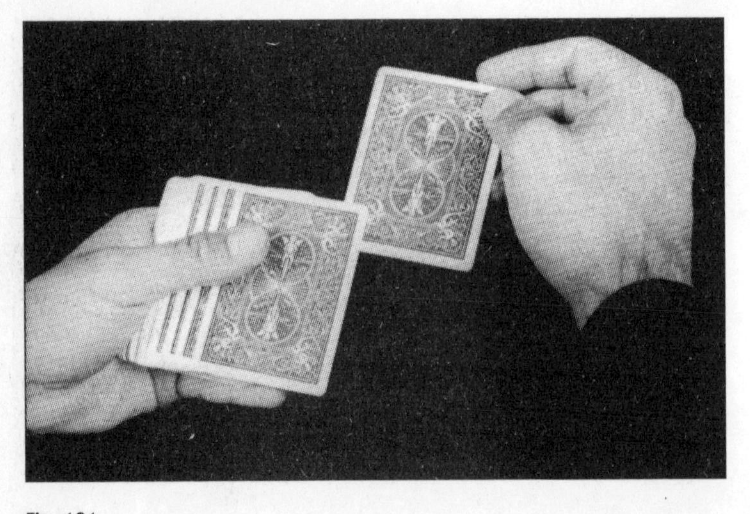

Fig. 101

Fig. 102

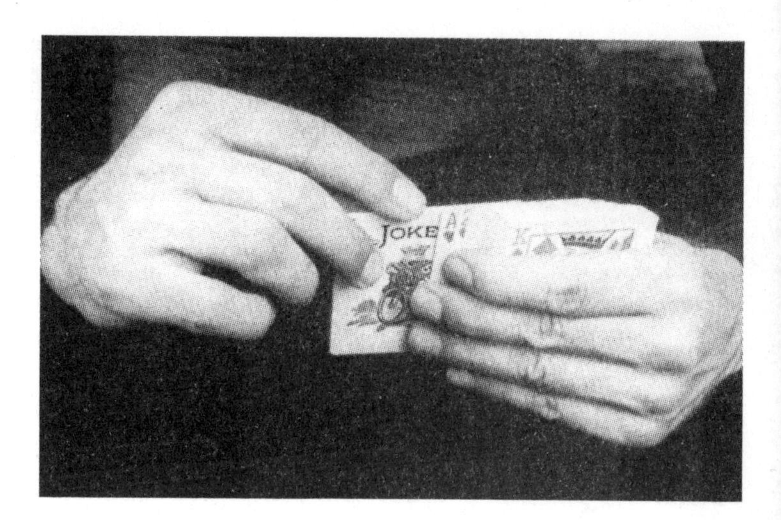

Fig. 100

3ème mouvement : **Donne du dessous**

La main gauche tient normalement le jeu. Le pouce peut être écarté afin de ne pas gêner le mouvement. La main droite saisit la carte du dessous et la pose comme s'il s'agissait de la première (fig. 102). La vue du dessous montre mieux la tenue de la carte par la main droite (fig. 103).

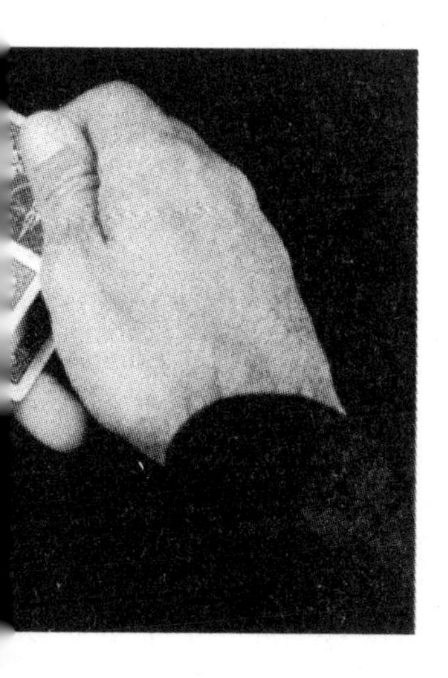

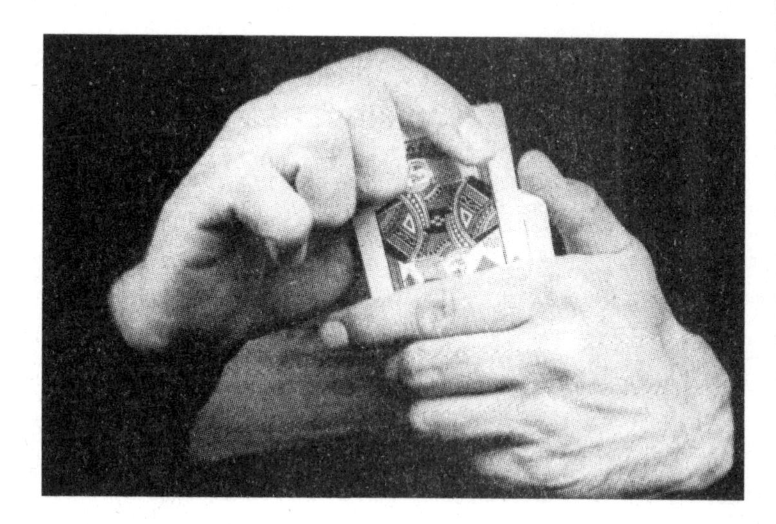

Fig. 103

Fig. 104

4ème mouvement : **Donne du milieu**

Les paquets venant d'être ramassés après la coupe, les doigts de la main gauche maintiennent une ouverture entre les deux et commencent à faire sortir une carte (fig. 104). Une carte étroite ou tuilée peut aussi indiquer l'emplacement de la carte à sortir. La main droite pose cette carte comme s'il s'agissait de la première (fig. 105).

Fig. 105

C. Détection

- Le meilleur repérage est occasionné par la différence de bruit. Le frottement supplémentaire des cartes produit en effet un son différent.

- Pour masquer ces mouvements, la main gauche effectue un mouvement de poignet très facilement repérable.

- Un mouvement anormal du pouce gauche durant la distribution est un signe de donne en seconde.

- Un joueur mouillant souvent les doigts de sa main droite en distribuant peut être « un fileur ».

- Si un joueur ne replace pas la coupe et se sert uniquement du deuxième paquet pour distribuer, il peut utiliser la donne du dessous, car le paquet plus petit qu'un jeu normal lui facilite ce mouvement.

- Tout arrêt brusque dans la distribution pour un motif quelconque peut être un signe de filage mal réussi et une raison de reprise.

- Il faut se méfier des Rois du baratin qui parlent du coup précédent en distribuant (pour détourner votre attention) ou qui essaient de vous faire rire par la blague du jour.

4. Change au marbre

A. Utilité

Dans un Casino ou dans un Cercle, la table de jeu est appelée « marbre ». Pour le Stud Poker ainsi que pour de nombreux autres jeux, un tricheur doit pouvoir changer la carte posée sur la table. Différentes méthodes sont employées pour cet effet.

B. Change à la distribution (pour une carte déjà empalmée)

La main droite distribue normalement les cartes du jeu tout en maintenant la carte A à l'empalmage oblique *(voir chapitre sur les empalmages)* (fig. 106). Au moment d'effectuer le change, l'index droit et le majeur droit se replient pour venir pincer le haut de la carte A. Le pouce gauche décale légèrement la carte B, destinée à être changée (fig. 107). Le pouce droit vient saisir la carte B à l'empalmage oblique comme pour la poser sur la table. L'index et le

Fig. 106

Fig. 107

majeur maintiennent toujours la carte A (fig. 108). La main droite s'avance légèrement. L'index droit et le majeur droit se déplient tout en maintenant la carte A qui, retournée, apparaît face en l'air (fig. 109). La main droite se rapproche de la main gauche pour déposer la carte B sur le jeu (fig. 110).

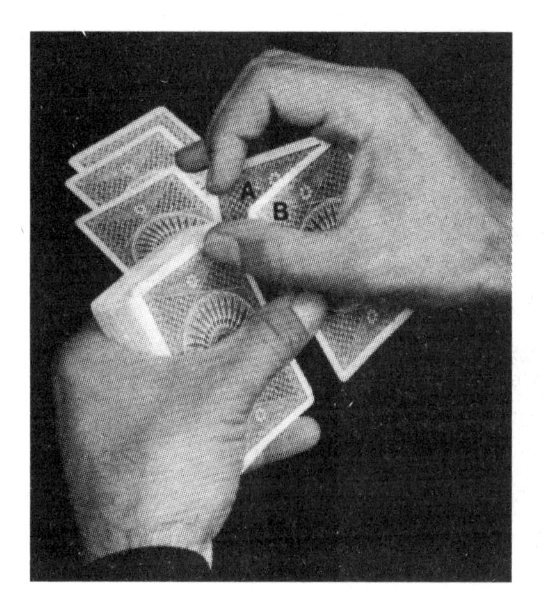

Fig. 108

Fig. 109

Fig. 110

C. Détection

- La main retournant une carte doit être vide. Le fait de tenir une autre carte pour s'aider est suspect.

- Un retournement de carte ne doit pas être suivi d'un rapprochement de la main agissante vers le jeu.

- Tout mouvement sophistiqué de retournement peut être malhonnête.

- Un trop grand mouvement pour un simple retournement est inutile, donc suspect.

5. Le regard oblique

A. Utilité

Plusieurs méthodes permettent d'avoir secrètement un coup d'œil sur la carte du dessus ou du dessous du jeu sans que les autres joueurs puissent le déceler. Si cette carte est intéressante pour le joueur qui triche, un bon « filage » lui permettra de se l'attribuer lors de la distribution. La connaissance de la carte du dessous ou de la carte du dessus donne un grand avantage au joueur.

Fig. 111

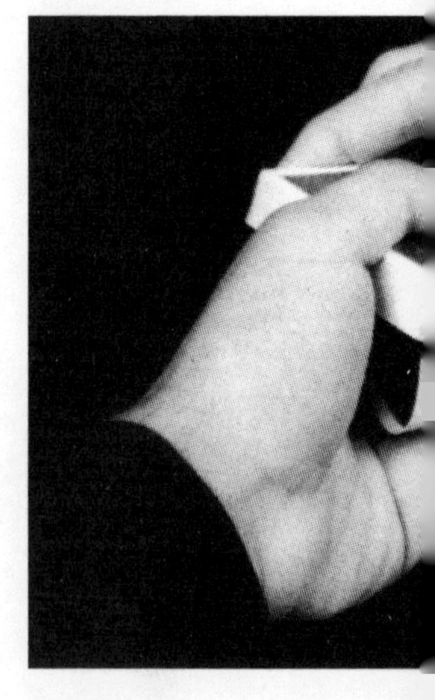

Fig. 112

B. Description

1er mouvement : **regard sur la carte du dessous**

Le pouce gauche maintient le bout du jeu contre la base de l'index gauche. La main droite maintient les deux extrémités (fig. 111). La main droite avance le jeu entier vers les autres joueurs mais la base de l'index gauche maintient toujours le bout de la carte du dessous. Cette carte est courbée automatiquement et le tricheur repère facilement le six de Pique (fig. 112).

2ème mouvement : **regard sur la carte du dessus**

En cours de distribution, le tricheur pose sur la table la main gauche tenant le jeu verticalement. La main droite relève normalement la carte de la table (par exemple au Stud Poker) et permet de distinguer le dix de Pique. Durant ce mouvement, le pouce gauche pousse la carte du dessus vers l'index, ce qui la courbe, permettant de repérer secrètement le coin situé vers l'index : cinq de Pique (fig. 113).

3ème mouvement : **regard sur la carte du dessus**

En mélangeant les cartes « à l'américaine », le tricheur peut facilement retenir la carte du dessus. Il suffit d'une fraction de seconde

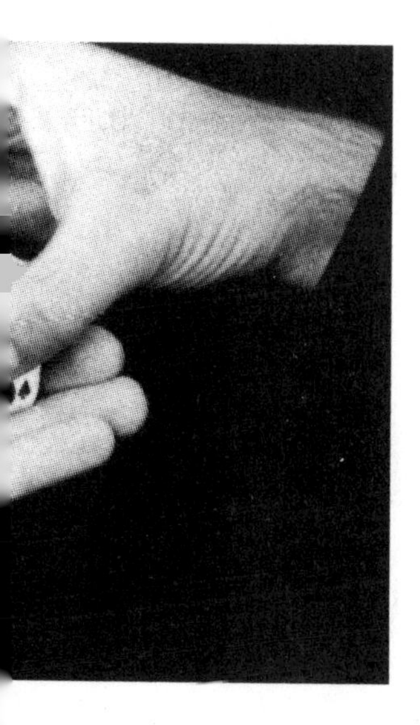

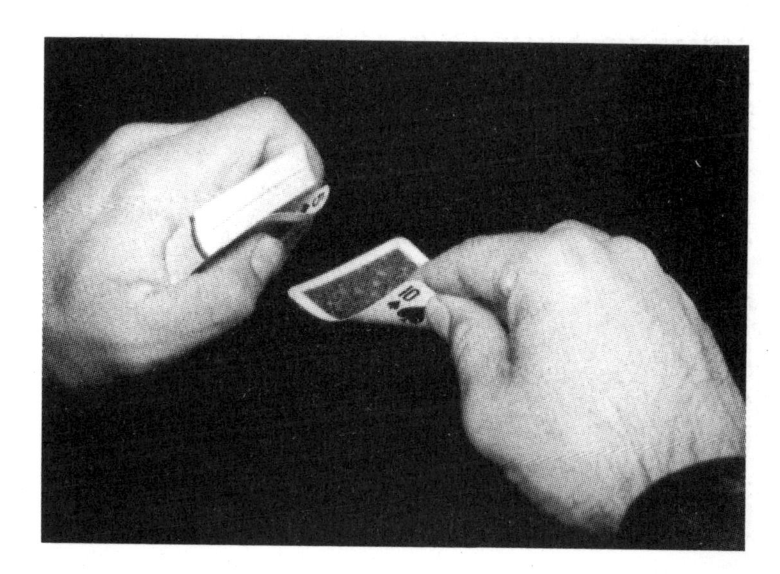

Fig. 113

pour repérer le Roi de Pique en soulevant le coin de la carte à peine plus haut que la normale (fig. 114).

C. Détection

- Normalement, le jeu ne doit pas être tenu trop longtemps en main, sans qu'une opération précise y soit effectuée. Le fait qu'un joueur « tripote » nerveusement un jeu avant de distribuer peut lui permettre un regard oblique.

- Dès qu'un jeu n'a plus besoin d'être tenu en main, il doit être reposé sur la table.

- Les cartes ne doivent jamais être soulevées trop haut par le joueur qui les mélange.

- Un joueur cachant trop l'intérieur de sa main peut aussi y dissimuler un miroir ce qui lui évite une manipulation tout en lui permettant un regard encore plus oblique.

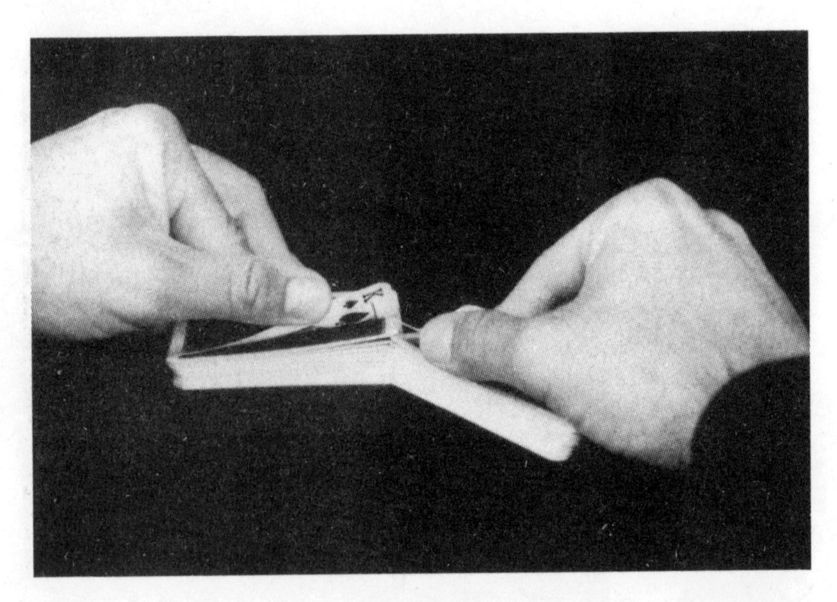

Fig. 114

6. Empalmage

A. Utilité

Cette manipulation est d'un grand intérêt. Il s'agit de conserver une ou plusieurs cartes dans sa main sans que les autres joueurs puissent le voir. À chaque position d'empalmage correspond une position naturelle de la main qui permet de dissimuler encore mieux la carte. Les tricheurs possédant de grandes mains affectionnent particulièrement cette technique. C'est la raison pour laquelle la Police Française des Jeux a augmenté la dimension des cartes de Casinos, rendant pratiquement impossible tout empalmage. Il faut surtout bien étudier les mouvements permettant d'obtenir chaque empalmage.

B. Description

1ère position : **empalmage classique** (fig. 115)

La carte est surtout maintenue en A par le bout de l'auriculaire et

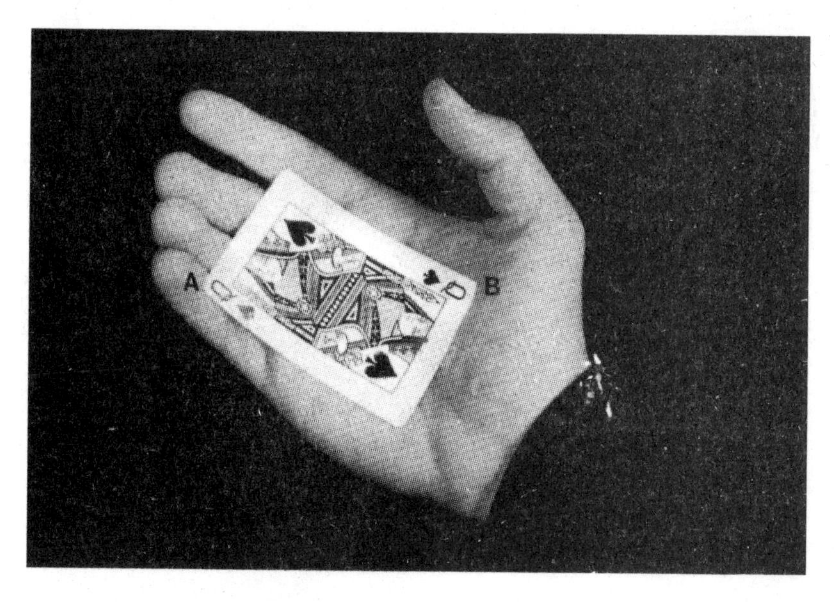

Fig. 115

en B par le muscle situé à la base du pouce. Le tricheur peut se croiser les bras ou poser la main prenant la carte sur le poignet de l'autre main (fig. 116). La main tenant la carte peut jouer d'une façon machinale avec un objet pris sur la table, par exemple un étui à cigarettes (fig. 117).

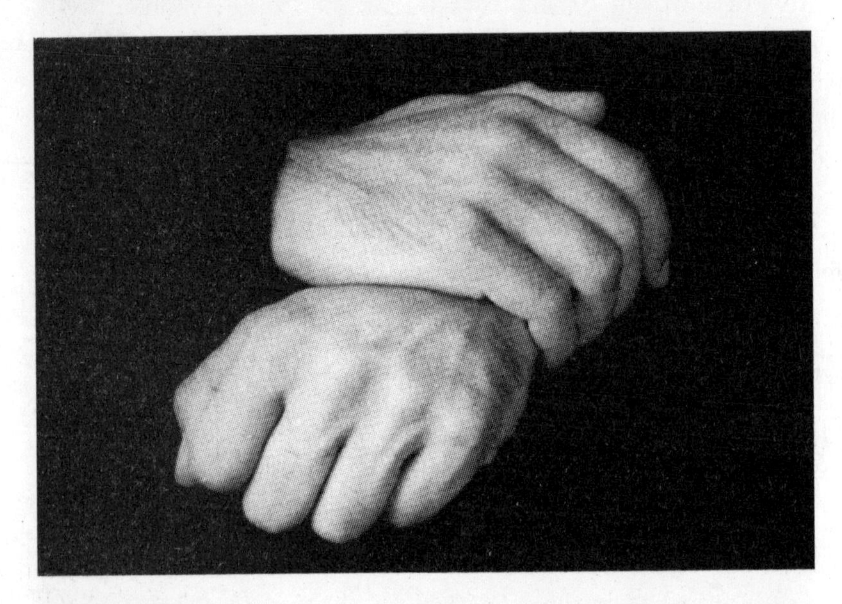

Fig. 116

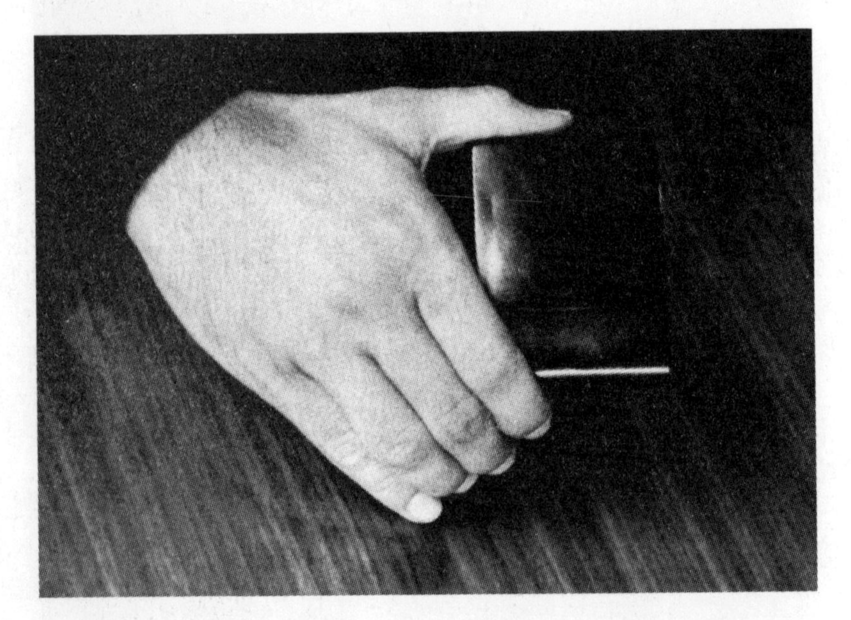

Fig. 117

2ème position : **empalmage du tricheur** (fig. 118)

On peut faire passer facilement une carte de l'empalmage classique à l'empalmage du tricheur. La carte est rapprochée du poignet. Elle est coincée en A et B par les muscles thénar et hypothénar. Cet empalmage est le plus employé. Le tricheur peut laisser son poing fermé sur le bord de la table (fig. 119). Il peut même ouvrir les doigts sur le bord de la table (fig. 120).

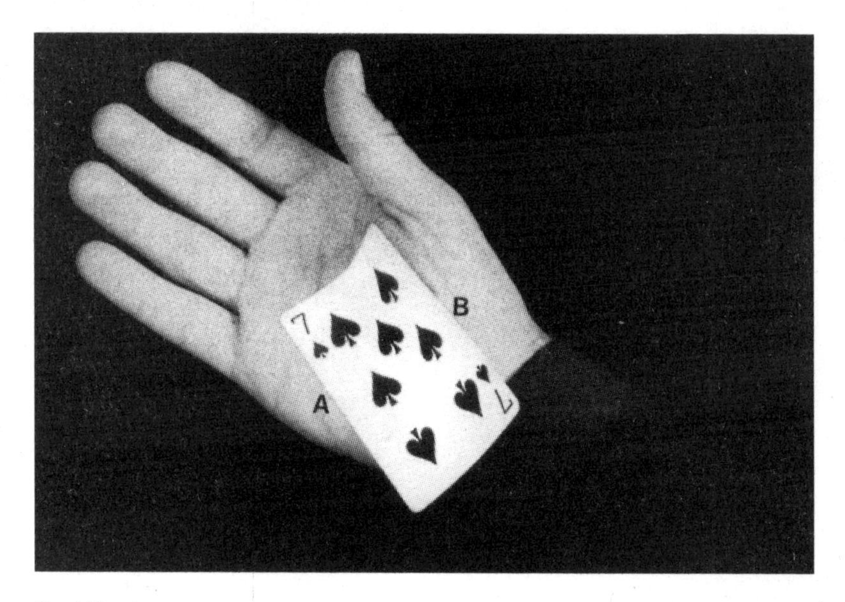

Fig. 118

Fig. 119

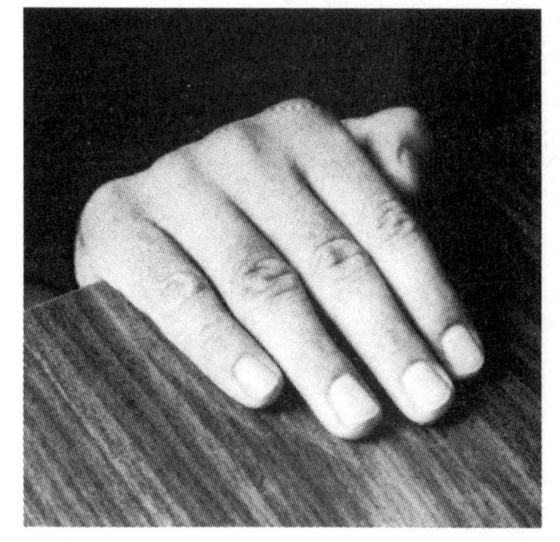

Fig. 120

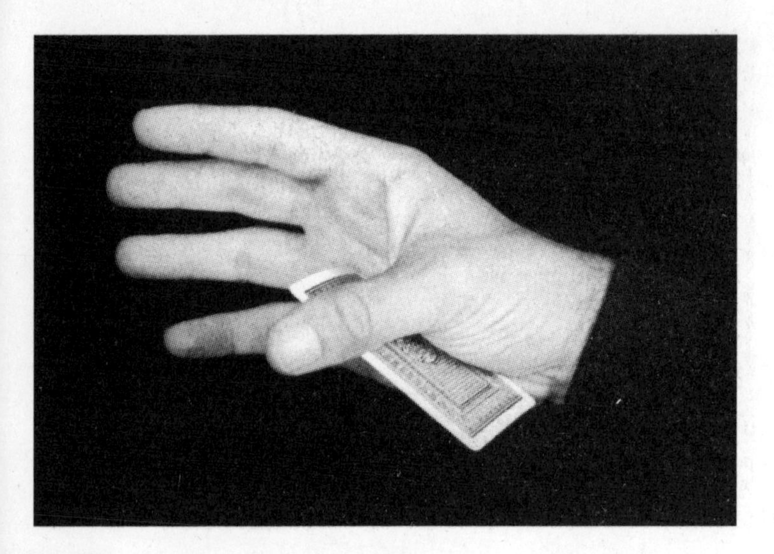

Fig. 121

Fig. 122

3ème position : **empalmage oblique** (fig. 121)

L'angle où les autres joueurs ne voient pas la carte est beaucoup plus restreint que pour les autres positions. C'est le pouce qui maintient la carte contre la paume. Cet empalmage peut facilement maintenir plusieurs cartes. Le prétexte de tenir un crayon ne gêne en rien l'empalmage (fig. 122). Vu de face, le crayon motive la position légèrement refermée de la main (fig. 123).

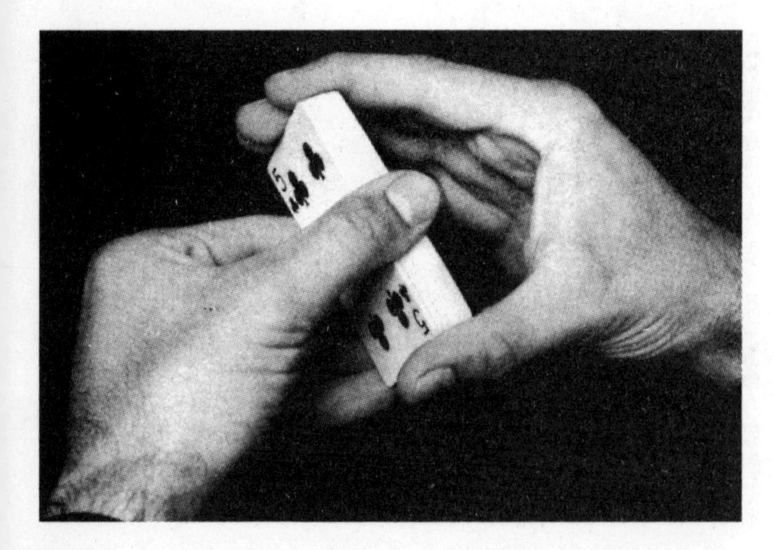

Fig. 124

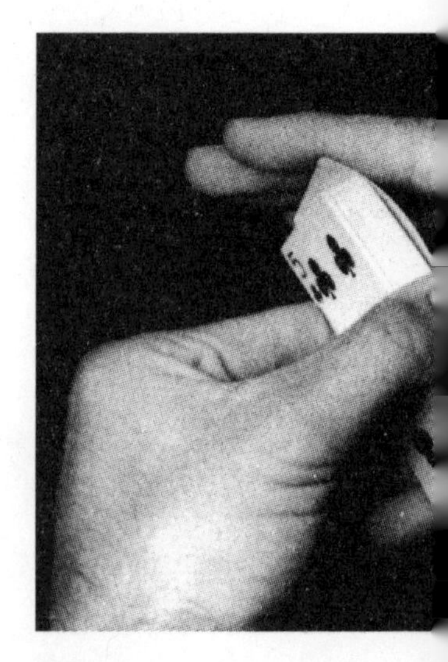

Fig. 125

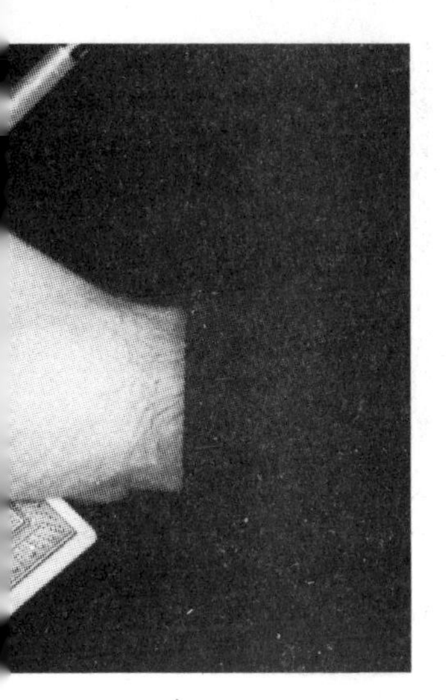

Fig. 123

1er mouvement : **mise à l'empalmage classique à deux mains**

Le jeu est tenu en main gauche par les côtés. La main droite tient les extrémités comme pour les égaliser (fig. 124). Les bouts des doigts de la main droite poussent la carte du dessus du jeu (fig. 125). Cette carte dépassant d'un centimètre environ, les doigts appuient sur l'extrémité pour la faire basculer et la plaquer contre la paume (fig. 126).

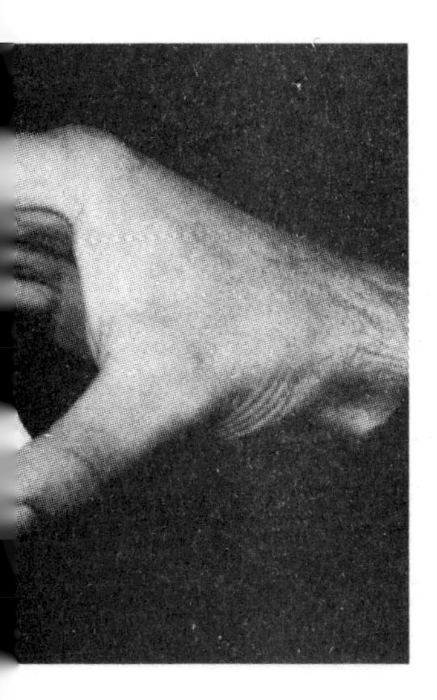

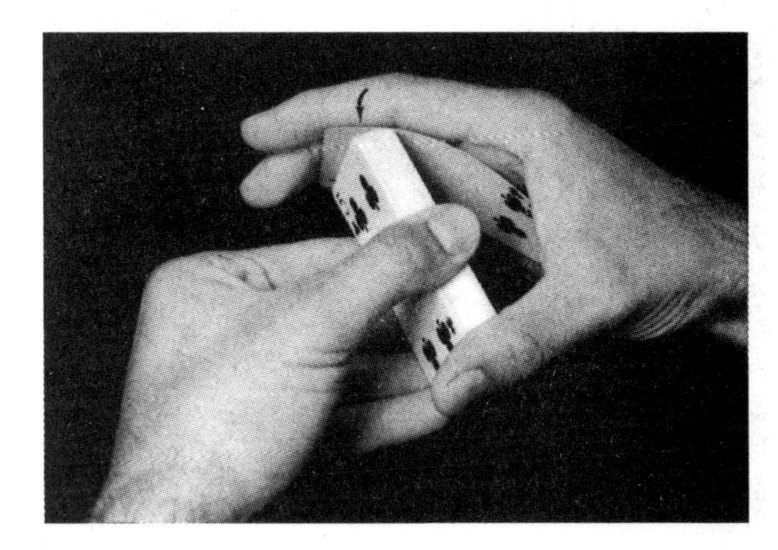

Fig. 126

2ème mouvement : **mise à l'empalmage classique à deux mains**

Le jeu est tenu en main gauche. La main droite appuie sur la carte du dessus en avançant en diagonale. Le coin du jeu sert de point d'appui à la carte du dessus qui vient se plaquer contre la paume (fig. 127).

3ème mouvement : **Empalmage classique d'une seule main**

Le jeu est tenu par ses extrémités avec la main droite. L'auriculaire appuie sur la première carte en la poussant légèrement en avant (fig. 128 + 129). Le bout du jeu servant d'appui, l'auriculaire peut alors se redresser pour bien cacher la carte aux joueurs (fig. 130).

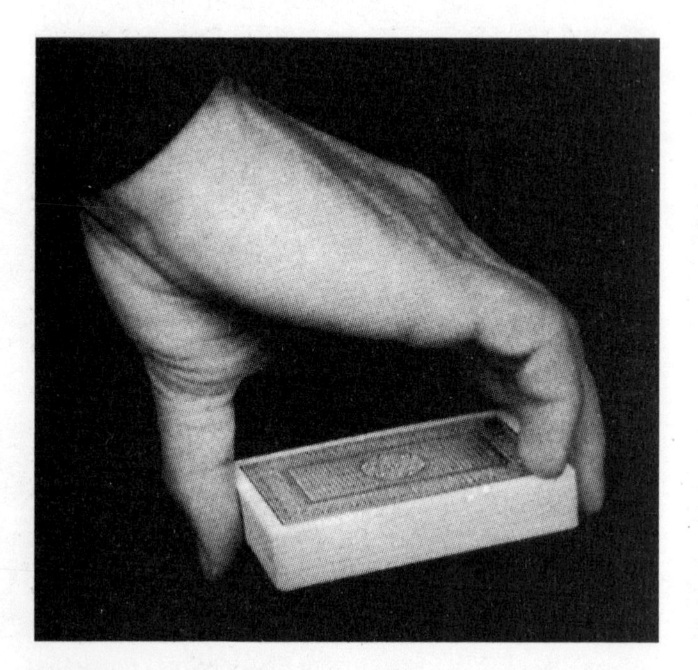

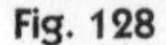

Fig. 128

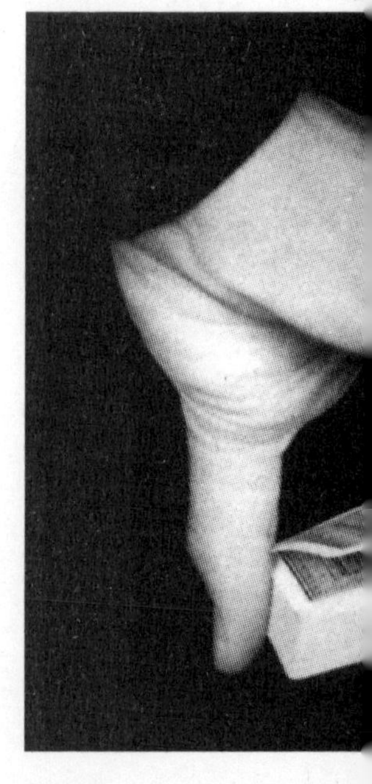

Fig. 129

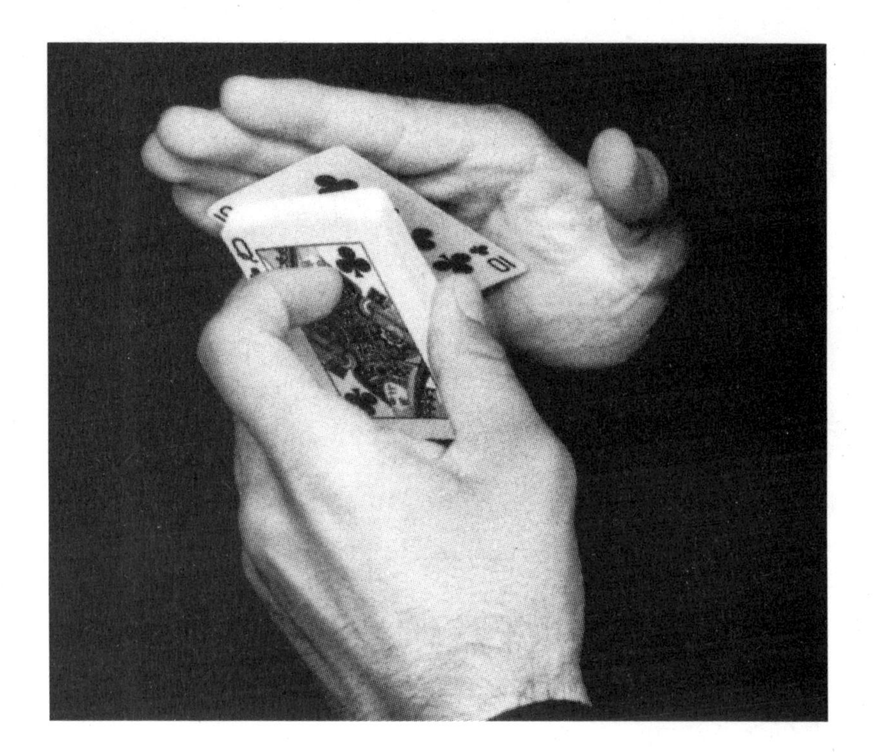

Fig. 127

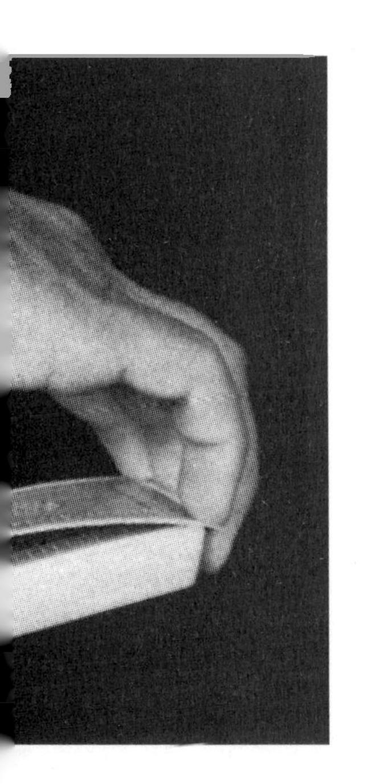

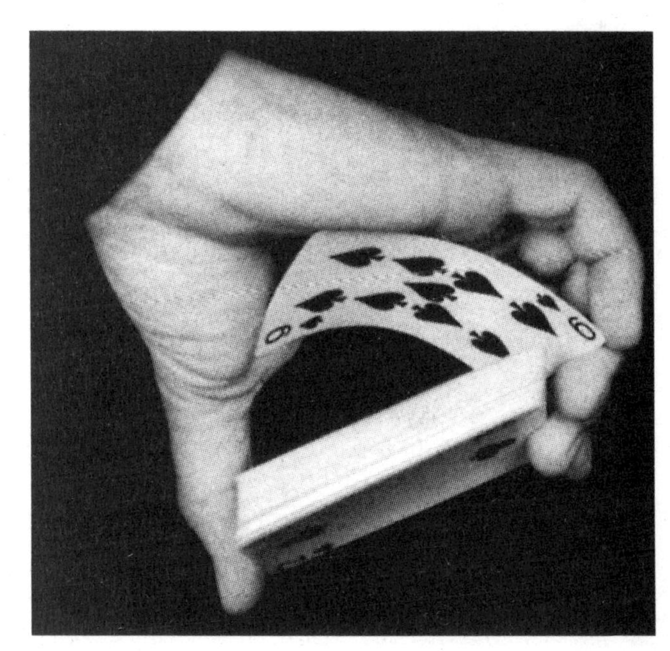

Fig. 130

Fig.131

Fig. 132

4ème mouvement : **empalmage de la carte du dessous à deux mains**

Le jeu est tenu par ses extrémités avec la main droite. La main gauche tient ses doigts repliés sous la carte du dessous (fig. 131). Les bouts des doigts gauches appuient sur cette carte. Les doigts continuent leur mouvement (fig. 132) jusqu'à plaquer la carte contre la paume droite (fig. 133). C'est un empalmage « classique ».

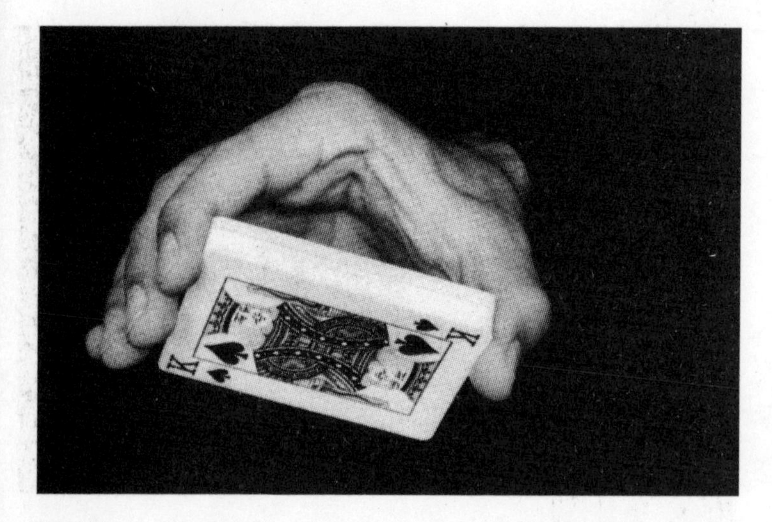

Fig. 134

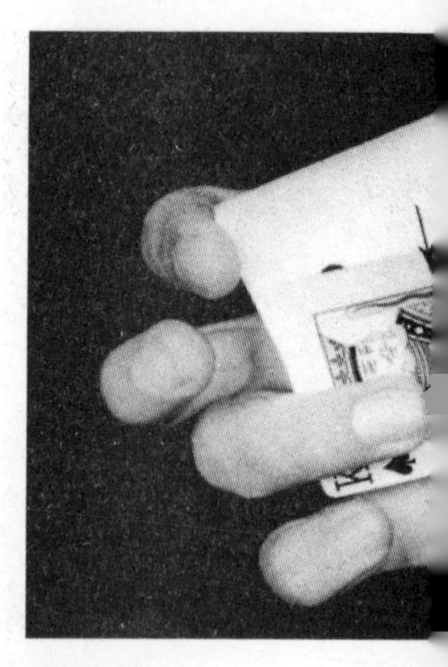

Fig. 135

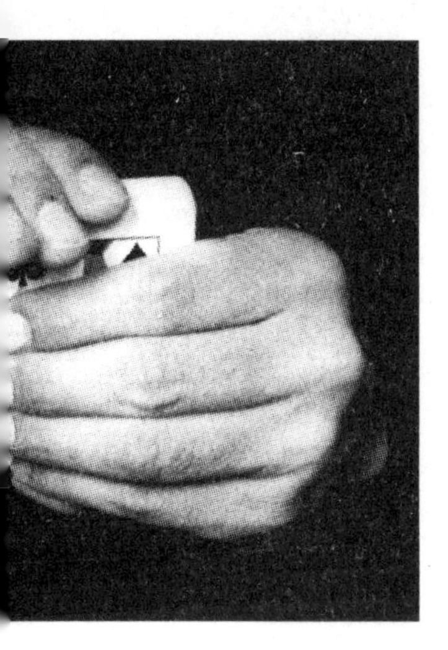

Fig. 133

5ème mouvement : **empalmage de la carte du dessous d'une seule main**

Le jeu est tenu en ses extrémités par la main droite (fig. 134). Les doigts se pliant, le jeu n'est plus maintenu que par l'index et le pouce. L'annulaire s'appuie sur la carte du dessous et la décale sur le côté (fig. 135).
Le majeur glisse sur le dessus du jeu et fait basculer le jeu en avant pour laisser passer la carte vers la paume (fig. 136). Le pouce vient

Fig. 136

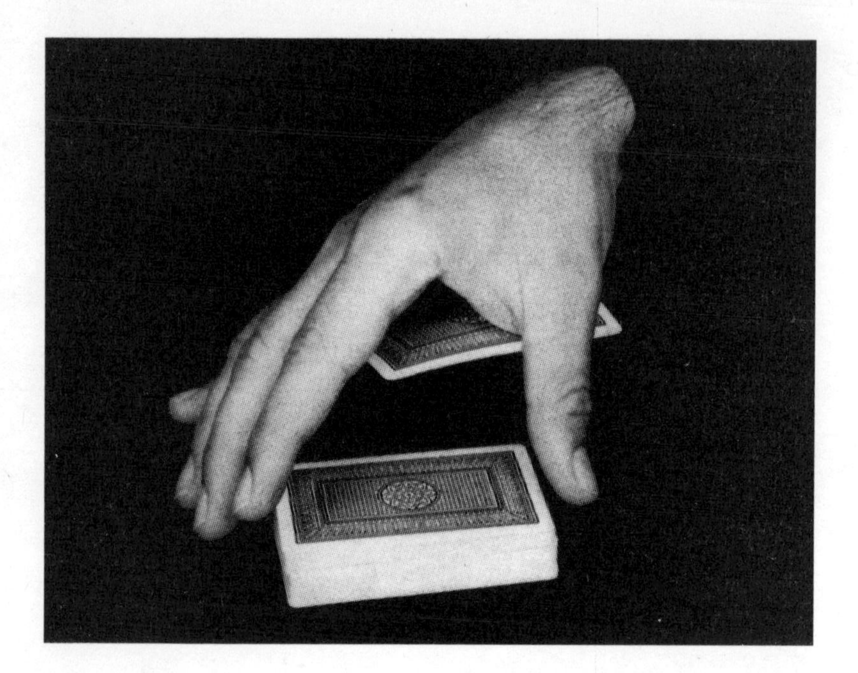

Fig. 137

bloquer la carte à l'empalmage oblique tout en déposant le jeu (fig. 137).

6ème mouvement : **utilisation d'une bague truquée**

La carte est simplement glissée sous la petite patte métallique d'une bague spéciale. Un empalmage devient évidemment très facile grâce à ce simple appareil (fig. 138).

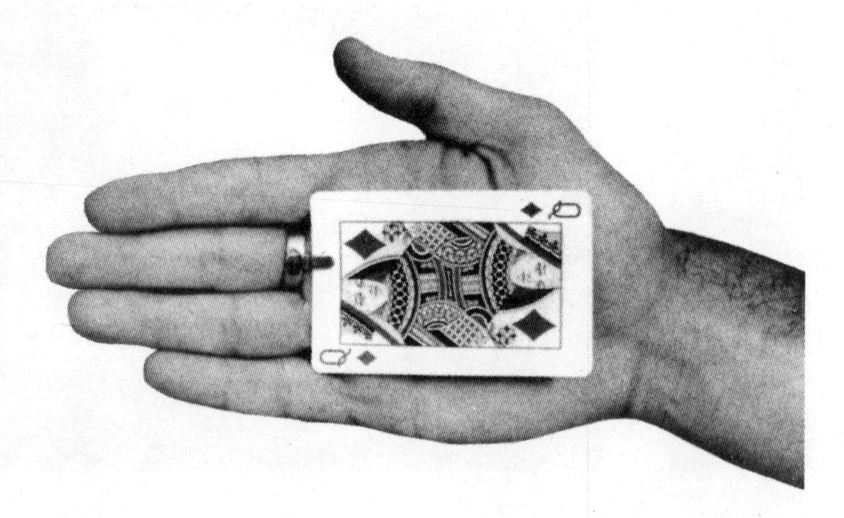

Fig. 138

C. Détection

- Vous pouvez penser qu'il y a empalmage lorsqu'un joueur tient sa main raide ou ses doigts serrés l'un contre l'autre de façon exagérée.

- De même, si un joueur tient toujours un objet entre ses doigts : stylo, boîte d'allumettes, etc...

- Si le pouce n'est pas visible, c'est le signe possible d'un empalmage oblique.

- Le moment le plus choisi pour un empalmage est le ramassage des cartes quand on égalise le jeu.

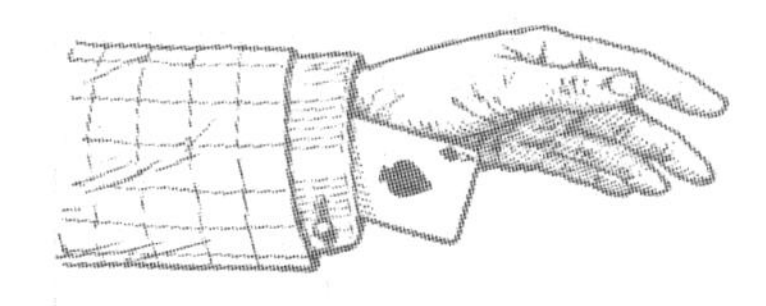

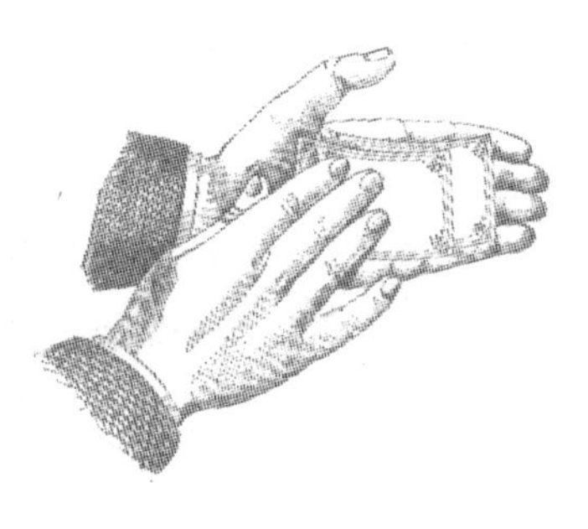

7. Retour innocent

A. Utilité

Lorsqu'un complice signale au tricheur, par un procédé invisible, la ou les cartes dont il a besoin, ce dernier doit d'abord les obtenir (appareil spécial), ensuite les empalmer, et enfin les placer dans le jeu sans que les autres joueurs puissent s'en apercevoir. Il peut aussi s'agir de poser sur le jeu une carte supplémentaire ou conservée secrètement. Le prétexte consiste toujours à ramasser le jeu pour le donner à un joueur ou pour mélanger les cartes.

B. Description

1er mouvement : **à deux mains sans appui**

La main gauche ramasse le jeu tandis que la main droite empalmant une carte se rapproche (fig. 139). La main droite vient poser la carte sur le jeu sous prétexte d'égaliser les cartes avec le bout des doigts (fig. 140).

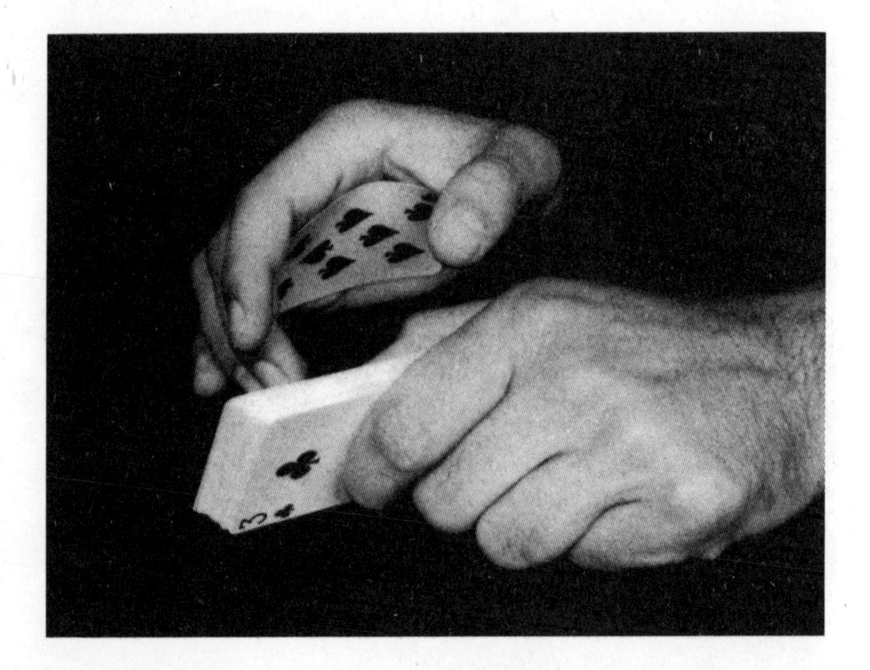

Fig. 139

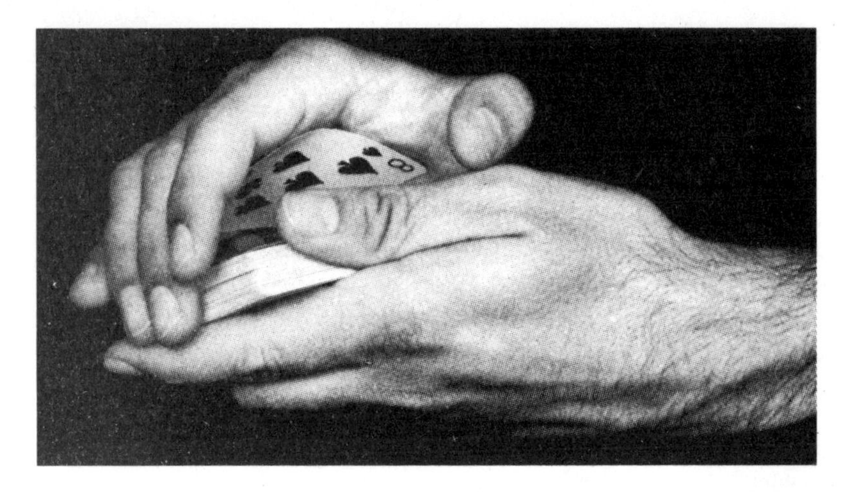

Fig. 140

2ème mouvement : **d'une main, au « ramassage »**

La main droite tenant la carte empalmée vient saisir le jeu en le faisant glisser vers elle. Au moment de soulever le paquet, on lâche la carte (fig. 141).

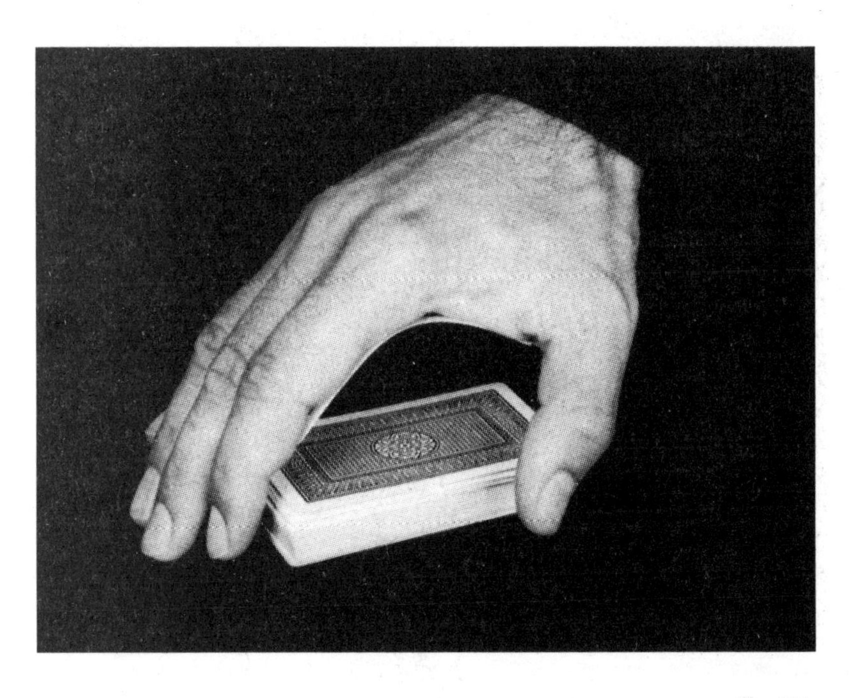

Fig. 141

3ème mouvement : **en rétablissant la coupe**

La main gauche rétablit la coupe en laissant les deux paquets décalés. La main droite conserve sa carte empalmée (fig. 142). Sous prétexte d'égaliser les deux paquets, la main droite se rapproche pour déposer sa carte tout en faisant glisser le paquet supérieur (fig. 143).

Fig. 142

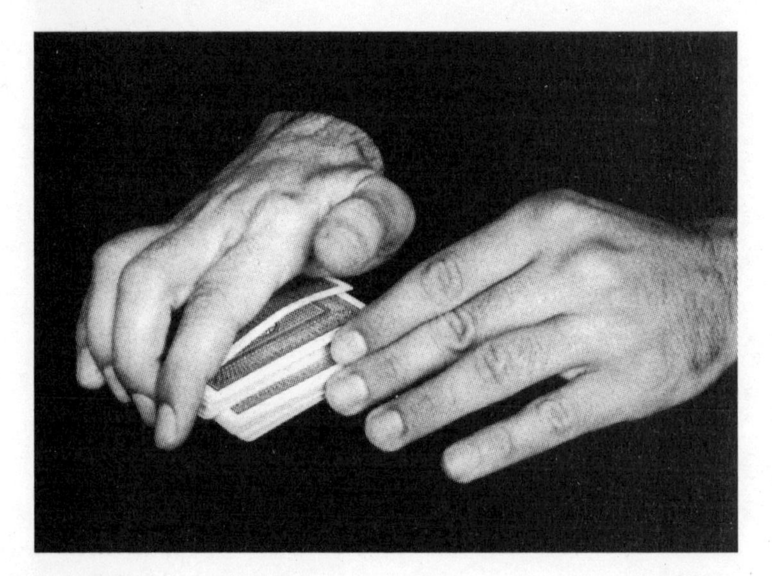

Fig. 143

C. Détection

- Le fait de ramasser inutilement le jeu pour le passer à un autre joueur, au lieu de le pousser sur la table, demeure suspect.

- Lorsqu'un joueur repose un jeu sur la table, si la première carte est légèrement courbée, il y a de fortes chances pour que cette carte vienne d'être ajoutée.

- On peut très facilement dissuader un tricheur d'employer cette méthode en comptant les cartes au départ de la partie et en les recomptant de temps en temps.

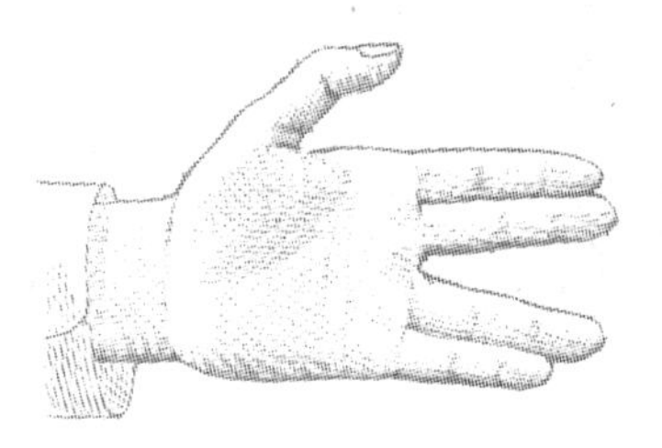

8. Gymnastique des doigts

Les véritables professionnels du trichage se soumettent à un entraînement intensif dont plusieurs secteurs étaient jusqu'à maintenant ultra secrets.

1. Les doigts gagnent leur indépendance

A. Mouvement d'assouplissement

La rigidité du carpe, du métacarpe et des phalanges sera combattue par des mouvements qui s'apparentent à des massages, pétrissages et élongations. Ces mouvements sont à faire dans l'ordre que nous vous indiquons.

1. Fermez vos poings (fig. 144) et ouvrez-les brusquement en tirant sur vos doigts (fig. 145), ceci vingt fois de suite pour des débutants en augmentant progressivement jusqu'à cinquante.

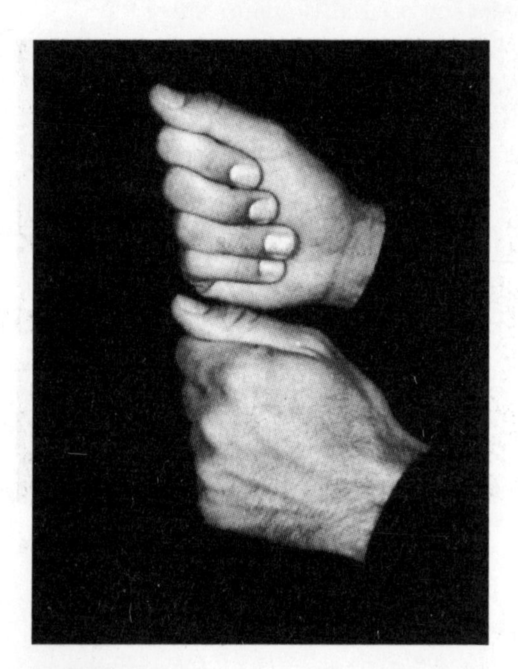

Fig. 144

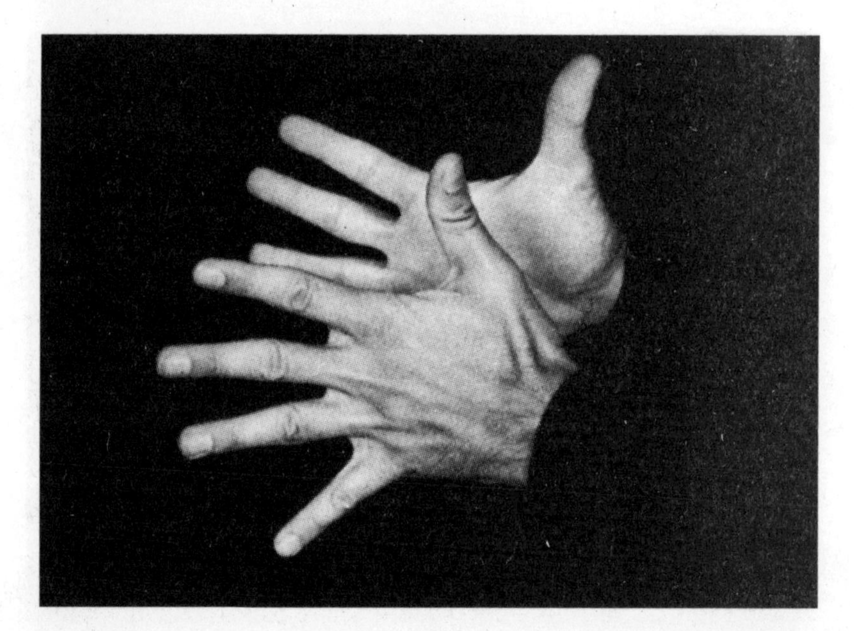

Fig. 145

2. Entrecroisez vos doigts (fig. 146) et retournez vos mains en les laissant se séparer (fig. 147) environ cinq fois de suite.

Fig. 146

Fig. 147

3. Placez vos mains dans la position (fig. 148) et poussez légèrement de chaque côté (fig. 149). Environ trois fois de suite.

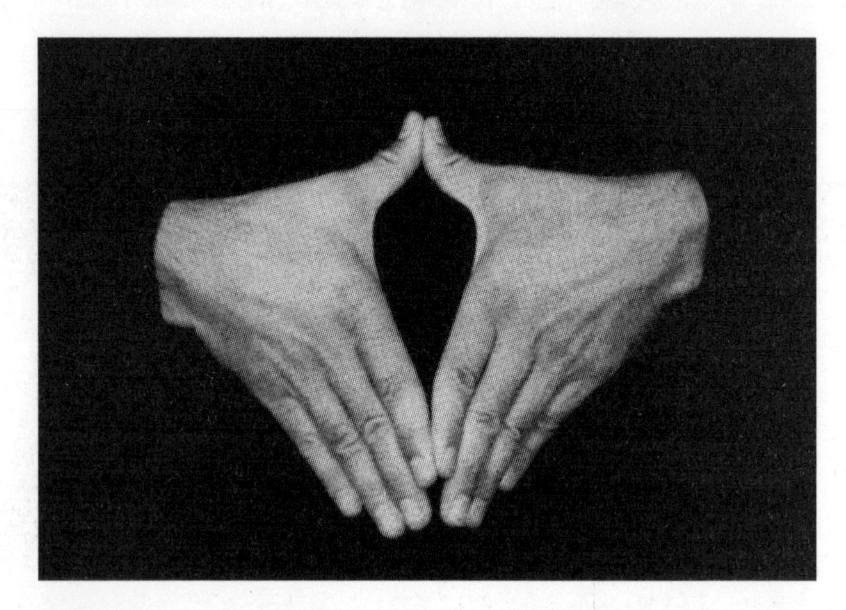

Fig. 148

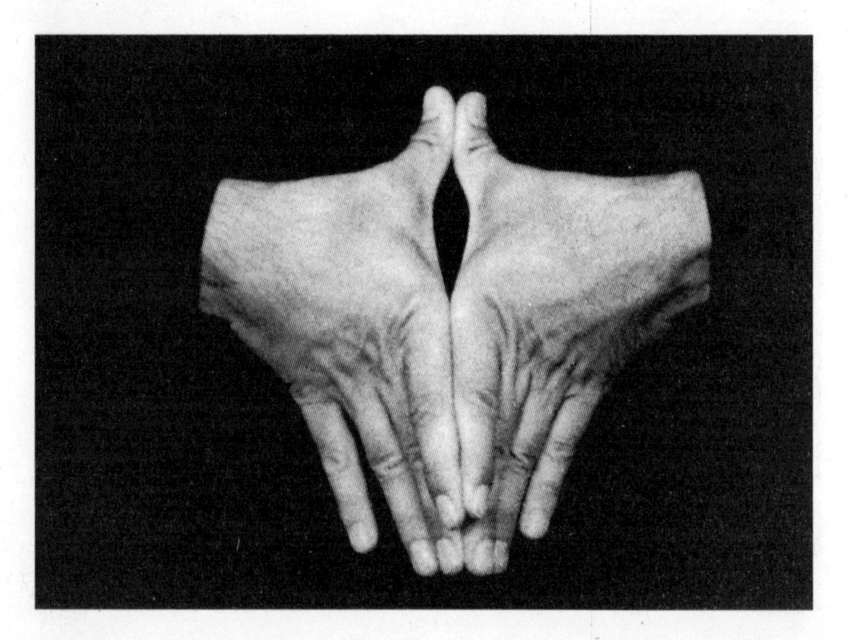

Fig. 149

4. Placez les doigts de la main gauche dans la position (fig. 150). Entourez ces doigts avec la main droite et tournez vers l'extérieur en serrant légèrement (fig. 151). Procédez de même pour la main droite. Environ cinq fois de suite pour chaque main.

5. Agitez les doigts de vos deux mains d'une façon désordonnée et rapide (fig. 152) durant trente secondes environ.

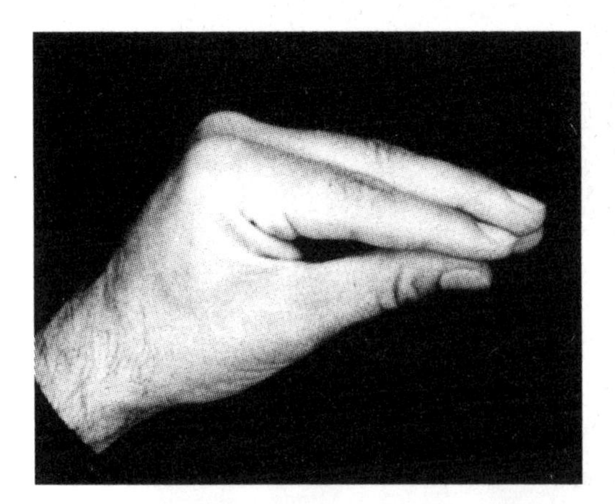

Fig. 150

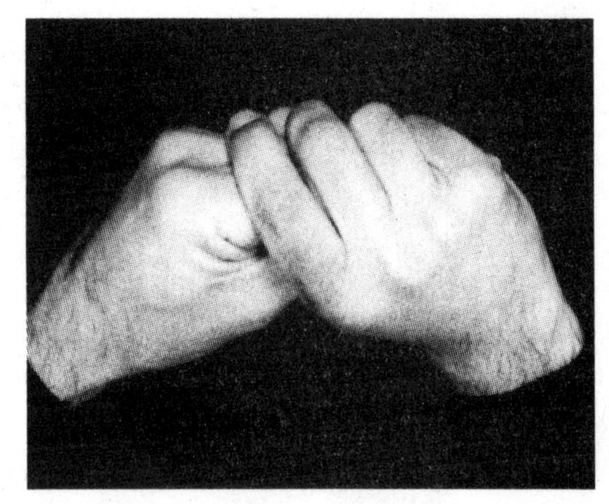

Fig. 151

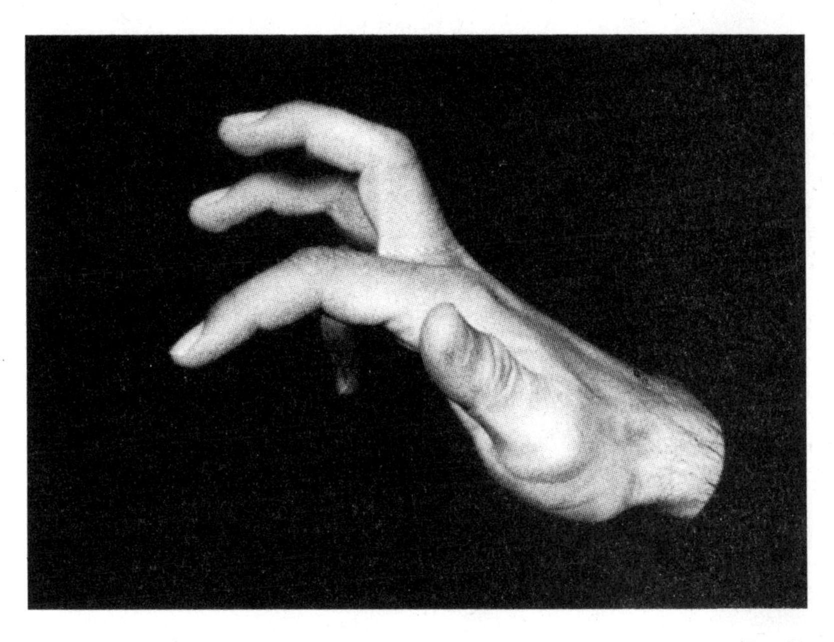

Fig. 152

B. Exercice de musculation pour l'auriculaire

Grâce à une kinésithérapie appropriée, vous pourrez muscler votre « hypothénar » de façon à empalmer plus facilement une carte. Un moyen facile consiste à placer un trousseau de clefs sur le petit doigt (fig. 153) et à le soulever vingt à trente fois de suite. On doit ajouter une clef tous les quinze jours mais ne pas dépasser dix clefs de poids moyen.

Fig. 153

C. Exercices de maîtrise

Anatomiquement, alors que le pouce possède des tendons fléchisseurs et extenseurs qui lui sont propres et lui permettent des mouvements isolés, les quatre doigts de la main sont pratiquement asservis par un système tendineux commun. Le tricheur sera donc contraint par des efforts surhumains à éduquer spécialement ses doigts pour lui permettre d'acquérir une mobilité indépendante.

1. Pliez chaque doigt séparément sans plier les autres (fig. 154, 155, 156, 157).

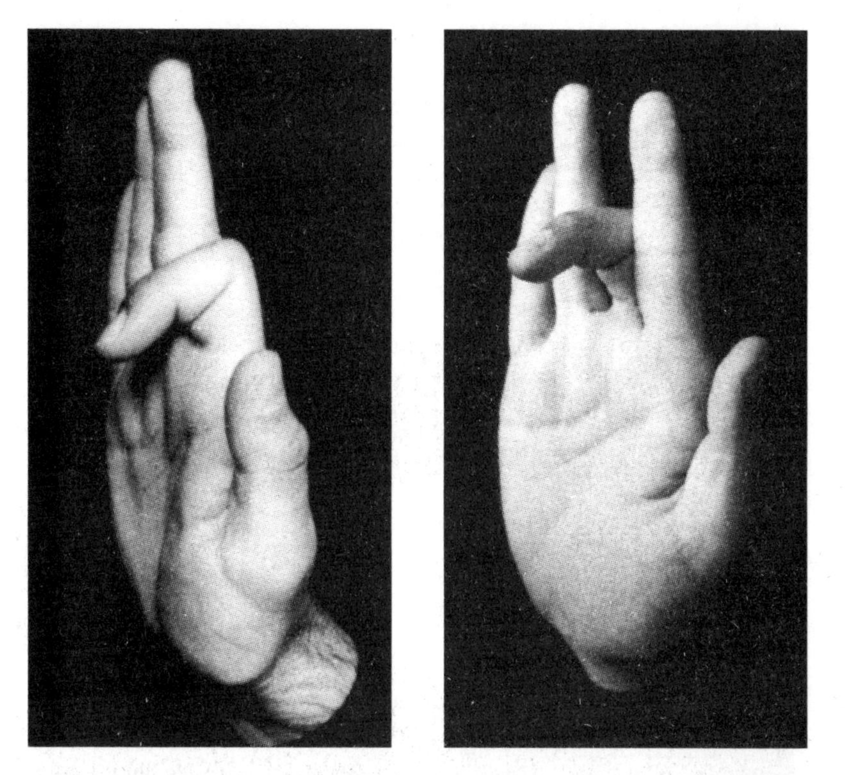

Fig. 154

Fig. 155

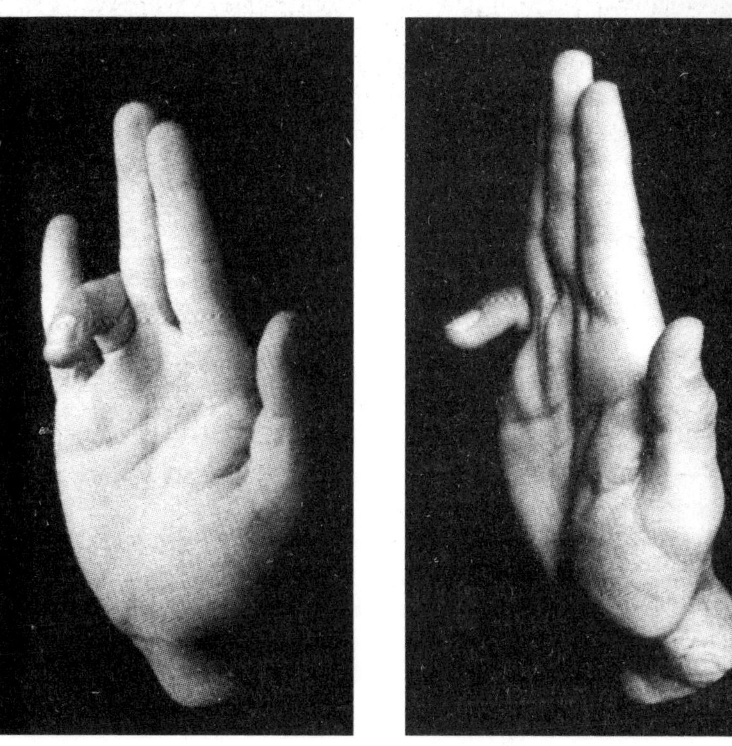

Fig. 156

Fig. 157

2. Pliez le bout de l'index sans plier le milieu (fig. 158). Faites de même pour les quatre doigts en même temps (fig. 159).

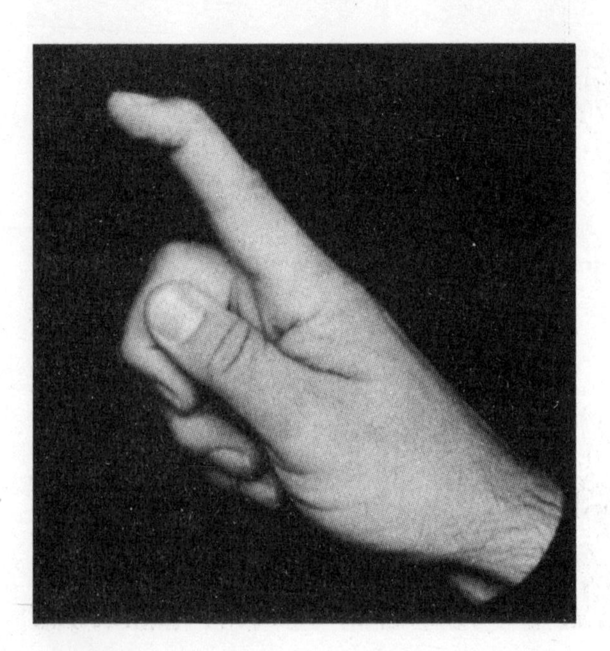

Fig. 158

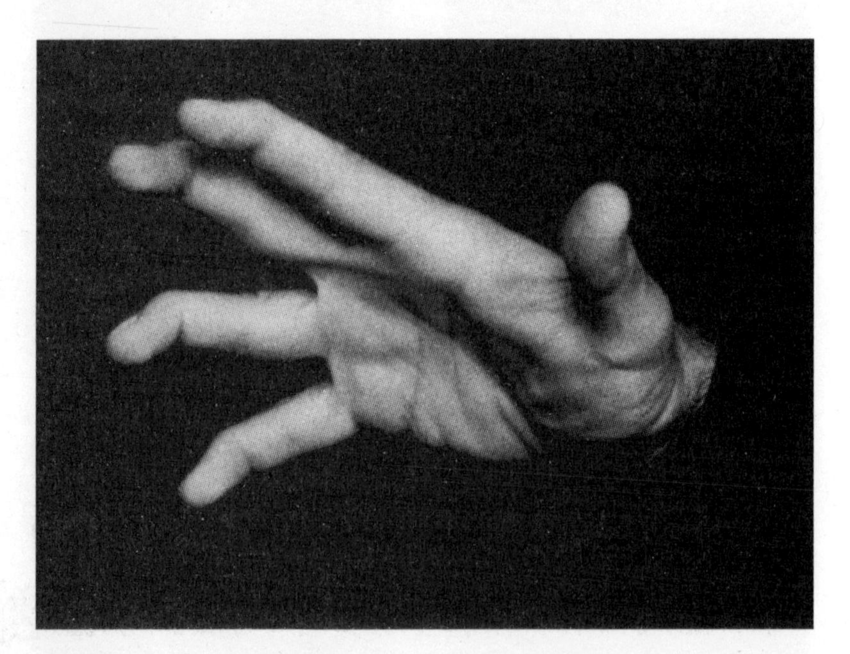

Fig. 159

3. Ecartez vos doigts différemment à gauche ou à droite selon la fig. 160. Inversez ces positions de gauche à droite dans le même mouvement (fig. 161).

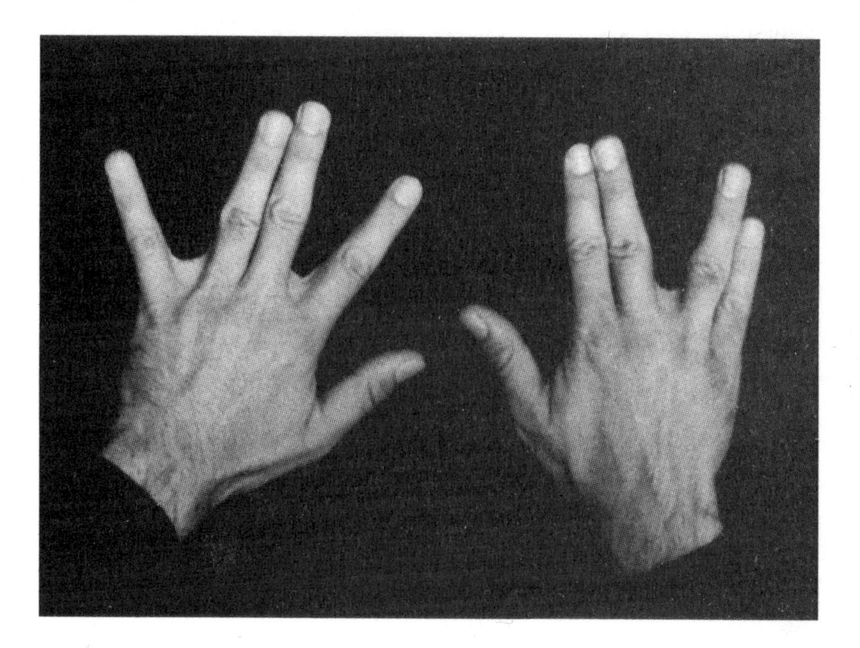

Fig. 160

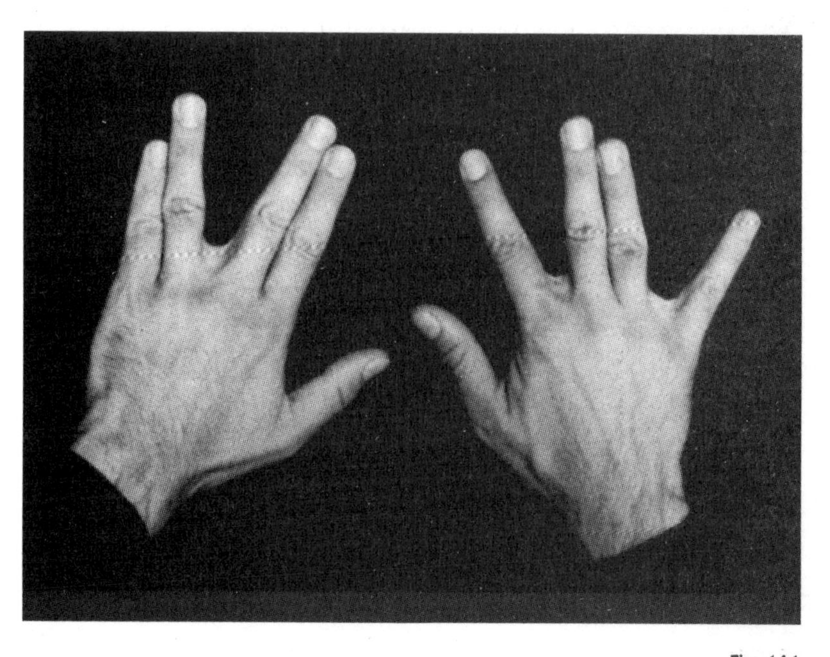

Fig. 161

2. Le corps reste en harmonie

La pratique régulière de mouvements classiques de gymnastique est indispensable pour conserver un équilibre physique, mais quelques sports sont plus spécialement adaptés à l'activité du tricheur.

Ainsi l'Aïki-Do ou le Wing-Chun sont des arts martiaux développant énormément la souplesse du poignet sans l'isoler du corps mais en conservant au contraire une harmonie totale.

Les mouvements de détente et de méditation prévus par le professeur permettent cette quiétude ZEN, si utile au tricheur pendant son combat. Mentalement, il doit devenir le « maître de la partie » en conservant son sourire et le contrôle de tous ses muscles.

La pratique de la canne permet d'autres mouvements du poignet et développe l'élégance dans les gestes.

Evidemment, le yoga est idéal pour détendre le tricheur avant une partie. Surtout les mouvements où les jambes sont en l'air, permettant une irrigation sanguine plus forte du cerveau et ensuite la position du lotus. Pour finir, une relaxation totale et quelques exercices de contrôle de la respiration.

Nous conseillons également aux tricheurs médiocres de se perfectionner dans la « course à pied » qui peut leur être très utile le jour prochain où ils se feront repérer.

3. Le régime de la réussite

Il s'agit d'une véritable ascèse. Le tricheur doit s'abstenir de tout excitant tel que le café ou le thé afin de conserver son « self-control ». Il peut par contre se gaver de sucreries, le glucose favorisant l'oxygénation de la cellule cérébrale. Surtout pas d'alcool blanc, mais à la rigueur du whisky qui est un excellent vaso-dilatateur augmentant la circulation sanguine au niveau du cœur et du cerveau. Les jus de fruit sont conseillés car ils contiennent de l'acide ascorbique (vitamine C) dont on connaît les propriétés oxydo-réductrices sur le métabolisme général. Les dernières découvertes américaines en ce domaine signalent d'éviter les aliments contenant de la « thyramine », cause fréquente de migraines ou de perturbations du système nerveux central, en particulier le chocolat, le fromage blanc de campagne et le champagne.

De toute manière, les repas doivent être peu copieux car on connaît bien l'influence négative des digestions lentes sur l'idéation. L'activité sexuelle doit être contrôlée et, en aucun cas, intervenir moins de 3 h 30 avant un acte de trichage car cela peut perturber le psychisme. Certains tricheurs recommandent la douche froide au réveil, associée à une friction au gant de crin. D'autres insistent sur la nécessité de la surveillance des fonctions intestinales. Il faut aussi un maximum de sommeil, en tout cas au moins sept heures.

VII – TRICHEURS DE GÉNIE

J'ai voulu vous présenter les tricheurs que j'estime les plus « grands » en ne prenant pas comme critère le fait qu'ils ont pu gagner beaucoup d'argent, ou qu'une de leurs manipulations soit d'une incroyable virtuosité, mais bien le fait qu'ils trichent d'une façon originale, depuis longtemps et avec beaucoup d'intelligence. Ils n'ont jamais été surpris par d'autres joueurs ou par la police. Leur sens psychologique est si grand que leur système semble infaillible. C'est seulement parce qu'ils l'ont bien voulu, et par sympathie pour moi, qu'ils m'ont laissé découvrir leurs techniques et leur façon de vivre. Je leur ai, bien entendu, promis de brouiller les pistes en changeant leur nom, ainsi que quelques détails caractéristiques. Toute ressemblance de nom avec un joueur honnête ou avec un autre tricheur serait vraiment une pure coïncidence d'autant plus que la plupart de ces professionnels du jeu ont exercé il y a déjà quelques années et sont probablement en retraite à ce jour.

De plus, je cite leur pays d'origine, mais ces tricheurs sont internationaux et on ne peut vraiment leur attribuer une nationalité sinon celle de « Grec », appellation correspondant depuis la fin du règne de Louis XIV à l'activité d'un tricheur en raison d'un scandale produit à la Cour. En effet, un chevalier, grec d'origine, et nommé Théodore Apoulos, gagnait des fortunes au jeu. En 1686, lors d'une partie de lansquenet faite chez le Maréchal de Villeroy, un gentilhomme poitevin, mis de mauvaise humeur par des pertes importantes, eut l'idée de saisir les deux poignets de Théodore Apoulos et de secouer ses larges manches de dentelle. Il en tomba un attirail de trichage très perfectionné pour l'époque. Le « fripon » fut condamné aux galères. C'est depuis cet incident que les tricheurs ont souvent été surnommés des « Grecs »; mais je n'ai jamais vu de tricheur aux cartes dans ce beau pays qu'est la Grèce.

1. Le maître du Texas Hold'em

Le Beverly Hills Hotel est sans nul doute l'hôtel le plus huppé de Los Angeles. Le tarif de ses chambres limite à lui seul l'accès à ce lieu mythique. L'ambiance snob qui y règne attire les intellectuels, les artistes, les hommes politiques et les industriels. Tous ont l'occasion de se retrouver le soir, au bord de la piscine lors des cocktails de bienvenue organisés par la Direction. Et c'est là que Mark Henderson recrute ses « pigeons ».

Grand, élégant, portant bien la cinquantaine, ce new-yorkais d'origine apparaît immédiatement comme le parfait gentleman. Tout dans son attitude montre l'homme d'affaires. Seul un bracelet en or, porté au bras droit, signe d'une victoire au tournoi de Poker WSOP, trahit son amour du jeu.

Sa technique de racolage est très simple. Il est si psychologue qu'il repère assez vite l'industriel de passage à Los Angeles qui réside dans cet hôtel dans l'espoir de rencontrer des stars. Mark s'arrange à être proche de lui sans toutefois lui adresser la parole. Il pose soudain sa coupe de champagne sur une table et saisit son téléphone portable comme si le vibreur lui avait signalé un appel et il parle : « Oui, Steven, oui, les suisses sont d'accord pour ton film. Je t'ai promis soixante millions de dollars et tu les auras. Entre eux et moi, cela fait le compte mais toi, tu es sûr d'avoir Leonardo? C'est très important. Alors, à demain… ». Il raccroche, range son portable et reprend sa coupe. À ce moment-là, le « pigeon » réagit en lui posant la question : « Vous êtes dans le milieu du cinéma? ». Et c'est parti. Mark n'a plus qu'à ferrer sa proie qui s'appelle John Shelby. Il lui parle de Poker. L'autre n'y joue que rarement mais se considère bon joueur. Mark lui propose de faire une petite partie de Texas Hold'em. Ils ne sont que deux mais l'industriel, de passage à Los Angeles pour un congrès, aperçoit deux collègues et leur propose de se joindre à eux. Le point sera de un dollar, juste pour pimenter la partie… Le Maître d'hôtel, habitué à ce genre de réunion, leur propose un salon privé, bien climatisé. Le seul problème : aucun d'eux n'a de cartes à jouer. Mark déclare se méfier de jeux ayant déjà servi mis à leur disposition par le Beverley Hills et propose aux autres joueurs d'aller acheter des jeux neufs au magasin le plus proche. Il est superstitieux et propose d'acheter des jeux « Bicycle » bleus. L'un d'eux dispose justement d'un chauffeur qui part immédiatement à l'adresse indiquée par le Maître d'hôtel : « Desert Games » sur Rodeo Drive. En attendant, Mark saisit son portable et, en complicité avec ses nouveaux amis, parle à sa femme : « Oui, ma chérie, je suis retenu par le secrétaire de Spielberg pour préparer la réunion de demain mais je rentrerai tôt. Je t'embrasse fort ». Mark raccroche et déclare à ses partenaires de jeu : « Joanna n'aime pas que je joue. Je perds trop souvent… Devant ce mensonge, les autres sourient et on voit les yeux briller à l'idée de « plumer » M. Henderson.

Ces doux rêveurs ne peuvent pas imaginer le piège qui se referme sur eux. L'appel de Mark était en fait un code destiné à son fils de vingt ans Steeve. Dès qu'il a reçu cet appel, Steeve qui se tenait sur sa moto tout près du magasin « Desert Games », range son véhicule et se dirige vers la boutique. Il entre et achète une cartouche de jeux « Bicycle » bleus. Juste après avoir payé, il se fait remarquer par le vendeur en faisant semblant de répondre sur son téléphone portable : « oui, papa, j'ai acheté une cartouche et j'arrive… ». Steeve sort du magasin, marche rapidement vers sa moto, ouvre le coffre et en sort une cartouche de jeux de cartes bleues apparemment semblable à celle qu'il a achetée mais celle-ci contient des cartes truquées. Il dépose la cartouche venant d'être achetée au fond du coffre et retourne à la boutique en déclarant : « excusez-moi, je me suis trompé. Mon père veut des cartes rouges… ». Le vendeur n'y voit aucun inconvénient et reprend immédiatement la cartouche bleue pour en donner une rouge à Steeve. Le jeune homme le remercie et sort tranquillement pour enfourcher sa moto au moment où le chauffeur de l'industriel du Beverly Hills gare sa grosse Lincoln noire. Il entre au « Desert Games » et achète une cartouche de « Bicycle » bleue. Le vendeur saisit celle qui vient d'être rapportée par Steeve et la tend au coursier de luxe sans se douter une seconde que ces douze jeux bleus contiennent des cartes ayant chacune sur le dos une marque secrète qu'on ne peut distinguer qu'avec un filtre approprié. Mark passe des heures à réaliser ces marques invisibles à l'œil nu. Il utilise un crayon gras bleu appliqué très légèrement.

Aucun des joueurs piégés ne peut s'imaginer que Mark porte des lentilles de contact. S'ils le connaissaient depuis longtemps, ils seraient surpris de ne plus lui voir ses beaux yeux verts. Les filtres rouges se combinant avec le vert lui donnent une couleur marron tout à fait banale. Mark lit ainsi les cartes de dos comme de face. Il fait exprès de perdre pendant un moment. Si les autres joueurs ne le proposent pas eux-mêmes, Mark suggère que le point passe à dix dollars et enfin à cent dollars pour soi-disant « se refaire ». Et là, il plume ses adversaires, en grand. L'heure étant tardive, Mark doit rentrer mais promet de revenir le lendemain. Quel dommage que les industriels quittent la ville au petit matin. La revanche sera pour une autre fois.

Mark a bien d'autres astuces pour récupérer ses cartes marquées. Il ne doit pas abuser du change à la boutique « Desert Games » car, bien qu'étant au-dessus de tout soupçon, les vendeurs seraient choqués par des enquêteurs pointilleux et chercheraient à comprendre comment ils ont pu devenir les complices d'un escroc.

Personne ne se doute que Mark Henderson n'a, en aucun cas, besoin de ces gains illicites pour gagner sa vie. Il a hérité, il y a dix ans, d'un oncle milliardaire. Tout ce qu'il gagne au Poker est intégralement versé à une célèbre association humanitaire. Et oui, Mark fait du social, tout en s'amusant.

2. Les diamantaires de Cape Town

Dans les années 80, en Afrique du Sud, aucun des joueurs de poker de Cape Town ne savait exactement si Mel Fergson était riche ou non avant de commencer à jouer aux cartes. Tous le connaissaient depuis longtemps comme un important courtier en pierres précieuses. Sa fortune était telle qu'il faisait partie de ces quelques joueurs qui ne misaient que des diamants. Leur réunion avait lieu chaque semaine dans l'un des salons d'un Club pratiquement créé à cet effet (fig. 162). Pendant que les messieurs jouaient, les dames se promenaient dans le parc. La propriété était située en dehors de la ville, peu avant Le Cap. Cette ambiance unique au monde m'attirait beaucoup et je ne pensais vraiment pas déceler un tricheur dans un tel milieu. Je dus pourtant me rendre à l'évidence. Mel Fergson était un Grand Maître. Il n'avait aucun besoin d'argent. Il trichait pour le plaisir et sa technique comportait une innovation qui m'a fait le surnommer « le roi de l'élastique ».

Mel employait quelques procédés classiques mais la plupart du temps, il effectuait un « montage » en mélangeant les cartes afin de faire gagner un complice. L'unique préparation consistait à coincer sous l'ongle du majeur droit un petit morceau d'élastique. Au moment de jouer gros, Mel ramassait les cartes pour les mélanger et s'arrangeait pour placer sur le dessus du jeu trois cartes sembla-

Fig. 162 Les milliardaires de Captown jouaient autrefois au Stud-Poker en misant des diamants.

bles, par exemple, trois Rois. Il mêlait rapidement le reste des cartes tout en effectuant le contrôle suivant : il glissait une par une en main gauche les cartes du dessus, jusqu'au nombre de six. Il replaçait ce petit paquet sur le reste du jeu. Il recommençait la même opération avec les quatre cartes du dessus. Puis, à nouveau, avec les neuf suivantes, et enfin avec quatre cartes.

Il demandait au joueur situé à sa droite de couper. Puis, il frappait sur le demi-paquet situé vers lui avec le bout des doigts de la main droite, tout en demandant au joueur : « Rétablissez la coupe ». Ce mouvement naturel lui permettait de déposer secrètement le petit morceau d'élastique sur le demi jeu. Même la coupe rétablie, une petite brisure, occasionnée par l'élastique, demeurait assez nette pour permettre à Mel Fergson un saut de coupe. Ainsi, l'ordre des cartes restait le même. Fergson distribuait les cartes normalement. Le complice situé à sa gauche recevait les trois Rois. Il ne restait plus à notre tricheur qu'à partager, un peu plus tard, les diamants gagnés par son partenaire secret.

Malgré sa maîtrise et sa décontraction, Fergson se montra inquiet devant moi en raison d'un incident imprévisible. Les joueurs avaient décidé une pause sandwich. Personne ne pouvait se douter que Mel s'apprêtait à tricher dès la reprise du jeu; il gardait à l'empalmage de la main droite deux valets tout en dégustant un sandwich. Je l'avais néanmoins détecté en raison d'un ligament exagérément tendu sur le dessus de sa main. Soudain, un de ses partenaires honnêtes saisit le jeu et se met machinalement à compter les cartes. Il avait simplement mangé plus rapidement que les autres et ne savait que faire pour patienter. J'ai vu Fergson blêmir. L'absence des deux valets allait peut-être déclencher un soupçon et surtout une fouille des joueurs. Mel, très calmement, plaqua ses deux cartes contre le sandwich, tourna celui-ci et continua à manger, sandwich et valets. Lorsque le jeu fut recompté pour la deuxième fois et que l'absence de deux cartes fut annoncée, Mel avait terminé son sandwich et avalé les valets. Il partit, avec ses partenaires, à la recherche des cartes manquantes. On ne les retrouva point, et pour cause, mais personne ne fut fouillé, car une tricherie semblait insensée dans un tel milieu.

Cet incident fut une bonne occasion pour moi quand, une semaine plus tard, je parvins à m'entretenir avec Mel Fergson en particulier. Je lui révélai mon observation de façon humoristique, grâce à un tour de cartes. Je lui donnai mon jeu et lui montrai mes mains vides. Un geste magique, et je sortis de ma bouche deux valets.

Mel comprit alors ma discrétion et m'offrit son amitié au point de me permettre de décrire son incroyable preuve de sang-froid.

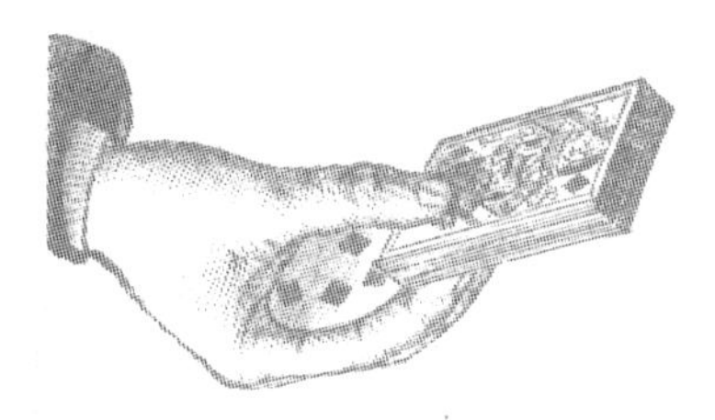

3. Le patriarche de Las Vegas

Cette rencontre m'a tant marqué à l'époque que je la revois comme si elle avait lieu aujourd'hui. Lorsqu'on arrive à l'aéroport de las Vegas, rien, sinon la chaleur étouffante du désert, ne différencie les lieux d'autres aéroports américains de taille moyenne.

On s'engouffre dans un taxi à air conditionné et on file vers la ville, que dis-je vers la « rue » car l'illusion est totale : les quartiers d'habitation (pour les employés des casinos) sont en effet situés à l'écart et dissimulés entièrement par d'importants casinos aux façades multicolores (illuminées de jour comme de nuit). Ils sont placés l'un contre l'autre et de chaque côté de l'immense avenue.

Le taxi m'a déposé devant un hôtel casino. Pas d'accueil, pas de porteur. Je fus obligé de porter mes valises en direction de la Réception. Il faut pour cela traverser une salle de jeux (machines à sous). En général, au bout de quelques minutes, vous êtes fatigué, vous vous arrêtez et vous vous trouvez juste en face d'une machine à sous. Le temps de reprendre votre souffle, vous jouez une ou deux pièces, puis trois, quatre, jusqu'à en oublier presque vos valises. Certains joueurs ne quittent pas la machine qui leur a porté chance, durant trois ou quatre heures. Ils se font apporter sur place des boissons et des sandwiches. Ces salles fonctionnent 24 h sur 24 et il y a toujours des joueurs.

Immunisé vis-à-vis de ce genre de tentation, je poursuivis mon chemin et arrivai enfin à la réception. Il est obligatoire de payer son séjour d'avance ou de laisser l'empreinte d'une carte de crédit pour garantir votre paiement. On vous demande même si vous voulez laisser votre billet de retour dans le coffre de l'hôtel. Etant donné le prix moyen des chambres, le confort absolu, le luxe exagéré y sont surprenants. D'ailleurs, rien n'est cher à Las Vegas. Les restaurants y sont excellents bien que très raisonnables. Mais la surprise la plus grande concerne les shows. Pour un prix modique, vous assistez à une revue dont le coût ne peut en aucun cas être couvert par les prix des places (beaucoup de clients réguliers sont d'ailleurs invités pat la Direction de l'hôtel). Ce sont, bien entendu, les jeux du casino qui payent tout cela. Même pour les salles à configuration théâtrale pour des spectacles comme ceux du Cirque du Soleil, les meilleures places sont réservées et offertes aux grands joueurs.

Black Jack, Poker, Craps et Boule constituent les principaux jeux.

Durant une semaine, je n'obtins aucun renseignement sur les tricheries. Mais mes questions précises et franches enclenchèrent un processus de curiosité. Je fus un soir abordé par un jeune homme qui m'invita à dîner et me demanda ma profession. J'annonçais « illusionniste recherchant des éléments sur les tricheries ». Devant mon assurance sur le plan technique en cartes, il me demanda une démonstration. Je m'exécutai bien volontiers. Il parut surpris et admiratif, demanda quel était mon hôtel ainsi que mon nom, puis partit tout en me promettant de me faire rencontrer, les jours prochains, un grand spécialiste.

Au bout de quelques jours, je pensais qu'il m'avait oublié et passais mes journées en compagnie d'artistes français que j'avais retrouvés avec plaisir et qui participaient à de très grands shows.

Le quatrième jour, suivant cette promesse de rencontre, un message, à l'hôtel, me fixait rendez-vous pour le soir. J'y fus, bien entendu, ponctuel. Le jeune homme m'annonça qu'il allait me présenter dans un salon privé, le Patriarche des tricheurs aux cartes : Sam Barker. Il me précisa qu'il était âgé de 75 ans mais ne les paraissait pas et demeurait incontestablement le premier spécialiste du trichage aux cartes. J'avoue volontiers que je n'en avais jamais entendu parler. Pour moi, les meilleurs spécialistes américains étaient des prestidigitateurs s'étant spécialisés dans des démonstrations spectaculaires de trichage.

Le premier contact fut très froid. Ce monsieur était en tenue de soirée. Il ne me manifesta aucun signe de sympathie. Il sortit simplement de sa poche un jeu de cartes et me demanda une démonstration de tricheries. Je compris qu'il s'agissait d'un examen. Etant prêt à cette éventualité, je m'en acquittais de bonne grâce en m'appliquant au maximum. Devant des effets très difficiles, le jeune homme souriait en hochant la tête, puis se tournait vers Sam Barker. Celui-ci ne bronchait pas. Il disait seulement régulièrement : « autre chose ». Au bout de quarante-cinq minutes environ, j'étais exténué de tension nerveuse et commençais à ressentir une folle angoisse à l'idée de continuer mes démonstrations. Sam Barker dut le ressentir. Il sourit pour la première fois, me félicita et commanda trois whiskies. Il m'expliqua sa méfiance vis-à-vis de nombreux joueurs voulant seulement apprendre quelques-uns de ses trucs, et m'annonça qu'il allait me montrer ses spécialités. Cela devait durer cinq heures, pendant lesquelles il but dix huit whiskies. Il demeurait néanmoins en pleine forme. Pour ma part, j'étais épuisé, n'ayant pourtant bu que quelques jus de fruits. Ce fut un festival ! Des manipulations surhumaines demandant vraiment trente ans de répétitions. Je réalisai alors que mes démonstrations pouvaient étonner un joueur aguerri mais ne pouvaient, en aucun cas, rivaliser avec celles d'un as de la triche. Il me permit de décrire quelques-uns de ses trucs dans ce livre. Mais le plus fantastique est encore son histoire dans le cadre de Las Vegas.

Sam Barker fut suspect d'être un tricheur par la Direction d'un grand casino, il y a une trentaine d'années environ. Sam trichait au poker en effectuant des « montages » parfais, mêlant les cartes afin de faire gagner un complice... Jusqu'ici, l'histoire est banale, mais la suite est inouïe.

La Direction du Casino se rendant compte qu'elle avait affaire à un tricheur exceptionnel, par son élégance, sa culture et sa maîtrise absolue, lui proposa un travail peu commun. Il s'agissait de devenir croupier et de tricher, non pour faire perdre certains clients (cela, les casinos ne le font jamais car leur gain normal est suffisant), mais pour les faire gagner. En effet, un « bon client » à l'année, se trouvant à Las Vegas pour huit jours et qui perd tout le premier soir se retrouve si déçu qu'il risque de repartir le lendemain matin, en ne dépensant que le huitième de ses possibilités. De même, s'il perd trop gros le dernier jour, il attendra un mois ou deux au lieu de revenir la semaine suivante. Il faut donc le faire gagner. Sam Barker était l'homme providentiel. Et durant vingt-cinq ans, Sam s'exécuta au mieux de cette tâche. Son terrain favori était le Poker. Il utilisait des cartes marquées et pratiquait en virtuose la « donne en seconde ». Il est en retraite depuis dix ans et mène une vie très agréable aux frais du casino. On lui demande seulement de temps en temps une petite démonstration privée pour quelques Rois ou Présidents de passage. Et maintenant, me direz-vous, qui a pris sa place... Personne. Les casinos ont de nombreuses compensations à offrir aux joueurs malchanceux : billets d'avion gratuits, appartement gratuit pour le prochain séjour, etc... De toute façon, la griserie produite par cette ambiance de jeu est telle que le joueur revient par besoin, comme s'il s'agissait d'une drogue. Mais durant vingt-cinq ans, Sam Barker a forcé la chance en donnant de la joie à des joueurs. Il en est très fier et continue à s'entraîner pour le seul plaisir d'une manipulation parfaite. J'ai longtemps rêvé à ses magnifiques mouvements et à sa psychologie à toute épreuve.

4. L'abonné au Boeing 747

Comme beaucoup de magiciens européens, mon rêve était de visiter un jour le « Magic Castle », temple hollywoodien de la prestidigitation. Dans ce lieu extraordinaire, imitation parfaite d'un manoir de style victorien, les meilleurs magiciens américains se rencontrent et produisent un spectacle de haute qualité. Mais la grande originalité réside dans la présentation de tours de table dans l'enceinte d'un petit amphithéâtre conçu spécialement à cet effet. Le propriétaire de ce lieu privé se nomme Milt Larsen. Il est très exigeant sur la technique des magiciens engagés et n'accepte comme public que les membres du Club. Ceux-ci ne sont pas obligatoirement prestidigitateurs amateurs, mais doivent, en tous cas, être passionnés par l'art magique pour accepter les quelques obligations de cette assemblée : heures fixes pour les séances, cravates et costumes sombres de rigueur pour les hommes et pantalons interdits pour les femmes. Le sous-sol est consacré à la bibliothèque magique et son accès n'est possible qu'aux manipulateurs confirmés. Dans ce lieu règnent les membres du « Inner Club ». Et bien que les deux salles de théâtre présentent des spectacles captivants, la salle de « close-up » reste le lieu le plus étonnant. Des manipulateurs viennent du monde entier pour y présenter leurs inventions en utilisant des pièces de monnaie, des dés à jouer, des cordes... et bien souvent des cartes à jouer pour des démonstrations de Poker. L'analyse systématique de toutes les tricheries devient dans cette ambiance un facteur extraordinaire de création magique. C'est donc une ironie du sort si, lors d'un de mes voyages à Los Angeles, j'ai découvert dans le Boeing 747 qui me transportait, un tricheur employant une méthode stupéfiante et si nouvelle qu'aucun membre du « Magic Castle » ne la connaissait...

La liaison normale Paris-Los Angeles en Boeing 747 prévoit parfois une escale technique à Montréal. De Paris à Montréal, les passagers font connaissance malgré le bruit étourdissant de ce fantastique géant de l'air. Mais ceux de première classe ont accès à l'étage supérieur où se trouve un salon beaucoup mieux insonorisé, pourvu d'un bar et où l'on joue souvent aux cartes. De Montréal à Los Angeles, les parties deviennent plus sérieuses, et les enjeux souvent plus élevés. C'est le hasard qui m'a fait effectuer deux fois ce parcours en compagnie du même joueur. Je l'ai bien observé. Il a triché devant moi. Il devait sans doute gagner sa vie de cette façon, car j'ai appris par l'hôtesse qu'il avait une réservation régulière sur ce vol chaque semaine, mais à des jours différents. Il était en quelque sorte le seul abonné à ce Boeing 747.

D'origine allemande, Erik Farber apparaissait comme un directeur important en raison de sa mallette remplie de dossiers. Il commençait à se plaindre du travail le submergeant, mais abandonnait très vite toute intention de travail et finissait par se consacrer au jeu. Avec son physique de sportif et son visage très ouvert, Erik forçait les sympathies, d'autant plus qu'il offrait très volontiers des consommations à ses compagnons de voyage. Le premier voyage où je l'ai connu, il a gagné au Gin Rummy, et au cours du deuxième voyage, il a remporté de fortes sommes au Poker. Sa première tricherie était très simple, bien que très efficace, mais sa seconde technique m'époustoufla par son ingéniosité.

Pour la partie de Gin Rummy, Erik Farber se servait de son propre jeu, mais il aurait aussi bien pu employer le jeu d'un autre. Son seul mouvement secret consistait à laisser une carte à jouer dans l'étui tout en sortant le jeu. Il faut savoir que cette carte absente du jeu donne un net avantage au joueur qui la connaît. S'il s'agit, par exemple, du Sept de Carreau, les combinaisons habituelles ne sont plus possibles car on élimine les suivantes : 5, 6, 7 de Carreau – 6, 7, 8 de Carreau et 7, 8, 9 de Carreau. L'escroc a ainsi plusieurs avantages. Il sait que la combinaison 7-7-7 est peu probable et que toute combinaison avec le 7 de Carreau est nulle. D'autre part, son adversaire, ignorant cela, peut décider, lui, de jouer les combinaisons rendues impossibles. Le tricheur sait, bien entendu, qu'il peut se défaire sans risque des 5, 6, 8, 9 de Carreau. Notre tricheur étant un bon joueur, a nettement profité de son avantage et a gagné. La somme n'était pas très importante mais le risque non plus, car si son adversaire avait compté les cartes : quoi de plus excusable qu'une carte coincée dans un étui. Je n'ai pu m'en apercevoir que par le mouvement très spécial de son index gauche à l'ouverture du paquet, mouvement que j'emploie également pour un tour où je dois laisser une carte choisie par le spectateur dans l'étui, et à son insu.

La partie de poker m'a autrement abasourdi, car la méthode procédait d'un culot incroyable. La partie s'était déroulée normalement jusqu'à l'annonce du début de la descente sur Los Angeles. Les passagers avaient commandé des boissons et le steward tardait à les apporter. Les joueurs avaient décidé d'effectuer leur dernier jeu. C'était au tour d'Erik Farber de distribuer. Le jeu venait d'être mélangé par l'un des trois joueurs honnêtes et Erik tenait le jeu en main gauche. Le steward arrive brusquement tenant son plateau en main gauche et s'excuse de les déranger en annonçant qu'après il serait trop tard pour les servir. Il prend un verre de whisky sur le plateau et le tend au joueur situé à la gauche d'Erik. Tout naturellement, son plateau vient cacher une seconde le jeu tenu par notre tricheur. Par la rapidité et la précision de ce mouvement, j'eus un instant l'idée folle que le jeu aurait pu être changé. Erik distribua les cartes. L'enjeu devint très important entre un joueur américain et Farber.

Chacun abattit son jeu. L'autre joueur avait un carré. Erik gagna avec une quinte flush. Ce jeu extraordinaire me parut suspect et alors que le steward s'affairait derrière son bar, je brûlai d'envie d'aller examiner son plateau. Une hôtesse vint justement l'appeler pour qu'il l'aide à soigner une passagère malade à l'étage inférieur. C'était le moment rêvé. Prétextant auprès de mes voisins un malaise, je fonçai vers les toilettes, mais revint vers le bar, accroupi comme un voleur. J'ouvris tous les petits placards où sont rangés les ustensiles de bar et fus intrigué par la découverte d'une pochette en plastique blanc. Ayant peur d'être surpris moi-même, je l'empochai sans vérifier ce qu'elle contenait et je retournai aux toilettes. Je trouvais évidemment le jeu de cartes à l'intérieur, ainsi que des petites boîtes de cire qui devaient servir à un autre truquage. Je ne m'étais pas trompé. Il y avait bien eu échange et ce steward complice était un des manipulateurs les plus virtuoses que j'ai pu connaître. J'ai ensuite remis le jeu en place en prenant soin de ne pas me faire remarquer.

Quelques mois plus tard, j'eus l'occasion de réemprunter cette ligne. Seuls des enfants jouaient aux cartes, à la bataille, ils faillirent même en venir aux mains tellement ils étaient mauvais joueurs. Erik Farber n'était pas là. Le steward non plus. Le nouvel employé m'expliqua que celui que j'avais connu, avait demandé son affectation sur une autre ligne. Je retrouvai néanmoins une hôtesse avec qui j'avais sympathisé et lui demandai si Erik Farber avait toujours bien ses réservations hebdomadaires sur la ligne. Elle me répondit qu'elle ne l'avait plus jamais revu : il n'y avait plus d'abonné au 747.

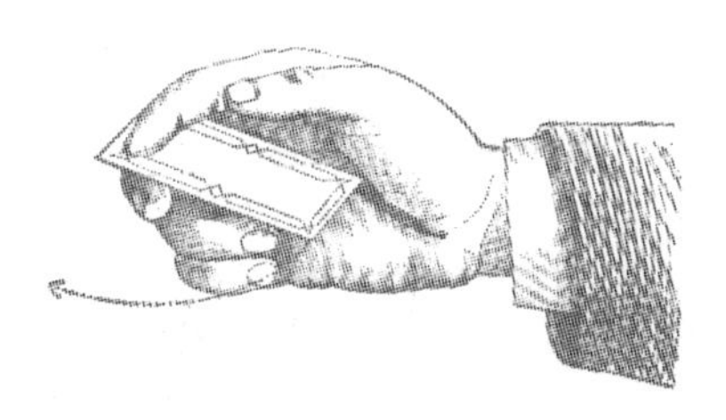

5. Le parfumeur romain

Aujourd'hui, Luigi Giaccoto doit avoir soixante ans mais je le revois comme à l'époque de notre rencontre.

Grand brun athlétique, Luigi est le type même du play-boy italien. Il gère à Rome une petite entreprise de parfumerie dont les bénéfices ne doivent pas être très importants, mais son activité principale se trouve ailleurs. Luigi est un excellent joueur de Poker. Il est très demandé et participe à tous les grands tournois. Il gagne souvent. Il peut ainsi vivre dans un luxe inouï. « Cela valait la peine de tricher un tout petit peu », comme me l'a avoué Luigi au bord de sa piscine.

Sa technique est très simple. Luigi possède un extraordinaire sens de l'observation. Il peut suivre quelques cartes repérées lors du ramassage des cartes sur le tapis et les localise assez précisément malgré le mélange du « donneur ». Il reconnaissait être bien meilleur au Bridge où il avait quelques « astuces ».

Sa partie de poker terminée, il invite toujours quelques personnes au restaurant. Comme par hasard, il découvre à chaque fois dans la rue une vieille carte à jouer coincée sous une grille d'arbre ou sous la roue d'une bicyclette remisée sur le trottoir. Luigi attire l'attention de ses nouvelles relations de jeu sur cette carte dont la face salie est peu visible mais toutefois ne la nomme pas. Tous discernent néanmoins un « Roi de Pique ». Ils continuent leur route et notre tricheur annonce au bout de la rue : « C'est étrange, ce Roi de Cœur dans la rue ». L'un des joueurs réplique : « Non, le Roi de Pique ». La discussion s'engage; Luigi se dit prêt à parier une somme d'argent. L'autre personne accepte. On retourne sur les lieux. La carte est saisie en main par l'infortuné parieur. Il s'agit bien du Roi de Cœur. Le perdant paye sans discuter. Luigi offrant le champagne ainsi que le dîner, personne ne trouve rien à redire. Le jour où j'ai assisté à ce manège, je me doutais bien qu'un complice avait dû changer la carte avant le retour du groupe. Le lendemain, à la fin des parties, je restai caché et suivis discrètement Luigi entraînant un nouveau groupe. Allait-il recommencer ce merveilleux numéro d'illusion? Oui. Il attire l'attention de ses nouveaux amis sur une carte située au pied d'un lampadaire et poursuit son chemin. Une femme vient alors près du lampadaire et se baisse comme pour arranger sa chaussure mais en profite pour changer rapidement la carte. Cette complice de charme se relève et continue sa route normalement.

C'est de la chance, tout s'est déroulé comme je l'avais prévu. Je me rapprochai du lampadaire et pris discrètement la deuxième carte pour en mettre une troisième à la place. Je repartis alors vite me cacher dans l'ombre d'une porte cochère et attendis. Pas longtemps. Quelques secondes plus tard, Luigi et ses amis réapparaissaient. Le parieur ramassa la carte et éclata de rire en félicitant Luigi pour son humour. Notre tricheur ne comprenait pas, il regarda mieux à son tour. C'était une carte blanche sur laquelle un seul mot était écrit « PERDU ».

6. Les voyageurs belges

Cette tricherie fut pratiquée, il y a vingt-cinq ans, par une bande de tricheurs qui opérait dans les trains. Revoyons-les comme à l'époque. C'est une équipe très forte. Arnold en est le chef. C'est lui qui manipule les cartes et dirige l'équipe. Bertrand recrute le « pigeon ». Claude fait semblant d'être du côté du « pigeon » et il le console lorsqu'il a perdu.

Nos trois tricheurs ont l'habitude de monter à Bruxelles dans un train en direction d'Ostende. Ils prennent place dans un compartiment vide; Arnold et Bertrand s'assoient aux deux coins fenêtres, autour de la petite table; Claude s'installe près du couloir, et ils étalent leurs bagages sur les banquettes de manière à ce que toutes les places paraissent retenues.

Un quart d'heure après le départ du train, Bertrand passe dans le compartiment des premières et demande s'il n'y a pas d'amateurs pour faire le quatrième au Poker. Dès qu'un voyageur est intéressé, il le ramène dans le compartiment des joueurs et le fait asseoir en face d'Arnold, près de lui. Arnold demande alors à Claude qui lit un journal et qui, naturellement, fait celui qui ne les connaît pas si, maintenant qu'ils sont au nombre de quatre, il accepterait de jouer. Celui-ci fait semblant de ne pas y tenir et d'une moue, répond : « Vous savez, je ne suis pas très fort au Poker et je ferai un piètre partenaire ». Arnold insiste et Claude finit par consentir à s'asseoir près d'eux.

Arnold sort alors un jeu de cartes et dit : « Si vous le désirez, nous pouvons intéresser la partie et mettre le point à un franc. Il ne s'agit pas de gagner de l'argent, ni d'en perdre, mais c'est tout de même plus attrayant ». Tout le monde est d'accord et il distribue les cartes, cinq à chacun. Avant d'aller plus loin, Claude se montre méfiant et demande à compter les cartes. Arnold joue le vexé mais accepte. Le jeu est compté et recompté, mais il manque bien une carte : le six de trèfle. Ils s'accroupissent, se soulèvent, regardent un peu partout et ne la retrouvent pas. Du coup, Claude se lève et dit : « Messieurs, je regrette, impossibilité de jouer ». Le client veut aussi se lever et s'en aller mais Arnold leur dit : « Attendez, puisque nous sommes déjà réunis, je connais un petit jeu à trente-deux cartes, très captivant, ça nous fera passer le temps. Chacun reprend alors sa place.

Arnold explique le jeu : « La valeur des cartes va en décroissant : As, Roi, Dame, Valet, etc... Le banquier donne trois cartes à chaque joueur. Le banquier détient le restant du paquet ; chaque joueur est banquier à son tour ».

Le banquier commence une petite mise à un franc ; chaque joueur joue à son tour et a le droit de jouer trois fois avec le jeu qu'il a en main. Il s'agit, bien sûr, de gagner la mise que l'on appelle le « pot ». Pour gagner, il faut une carte supérieure à celle que le banquier retourne, mais de la même couleur : par exemple, s'il retourne comme première carte le sept de pique, le joueur qui a misé perd s'il n'a pas de Pique dans son jeu. Mais il a le droit de rejouer encore deux fois ; il doit alors doubler sa mise puisqu'il a déjà perdu une fois. S'il gagne alors, il ramasse le pot, et le banquier remet un autre franc dans le pot, et ainsi de suite. Le tout se termine dès l'épuisement des cartes, le banquier ramasse alors le pot s'il en reste un ».

Cela semble amusant et simple, et ils décident de jouer une première partie pour du « beurre ». Bertrand tient la banque, il mélange et fait couper les cartes. C'est alors que Claude parle au « pigeon » pour distraire son attention quelques instants. Pendant ce temps, Bertrand change le jeu qui était sur la table contre un autre mieux adapté et préparé à leurs desseins.

Bertrand donne trois cartes à chacun. Personne n'a de jeu pour miser et chacun passe (il y a un franc au pot). Bertrand redonne des cartes. Claude a un petit jeu : un Valet, un Dix et un Roi mais il décide de jouer. Il perd et rejoue. Il reperd et veut jouer une troisième fois lorsque Arnold lui demande de voir son jeu. Claude le lui tend et Arnold lui dit : « Moi, à votre place, je ne jouerais pas ». Mais

Claude ne l'écoute pas et mise. Il perd. Le « pigeon » commence à comprendre et à se passionner d'autant qu'il a un As, un Roi et un Valet dans son jeu. Il n'hésite pas et ils commencent tous à jouer pour de bon. Avant la fin de la seconde partie, on lui demande où il va et l'on apprend qu'il descend à Gand, donc dans une demi-heure. On a le temps de s'amuser un peu…

Le client ramasse maintenant trente-deux francs à la fin de la deuxième partie. Bien qu'il n'est habituellement pas joueur d'argent, il commence à s'intéresser au jeu de plus en plus. Il reste un quart d'heure avant l'arrivée du train en gare de Gand. C'est le moment de sonder le client. Une fois de plus, le jeu est changé, à l'insu du « pigeon » contre un autre qui permettra de voir son attitude vis-à-vis d'enjeux plus importants. Arnold est banquier. Il mise deux francs afin de faire monter le pot plus rapidement. Lorsque le moment est arrivé pour le « pigeon » de jouer, il y a déjà 128 francs au pot, du fait de l'échec des précédents joueurs. Le client a maintenant dans son jeu un Roi, un As et une Dame, mais il hésite à jouer car la somme est importante. Il se décide enfin, mais Arnold lui demande de garder l'argent de la mise dans sa main au cas où il y aurait un contrôle. Le client gagne et à la fin de la partie, il ne demande pas mieux que la première mise du banquier soit de cinq francs, pour la partie suivante, dont le jeu est de nouveau truqué. Bertrand et Arnold jouent les premiers et perdent après avoir fait monter le pot à 640 francs. Le client qui sait avoir deux As et un Roi dans sa main est tout impatient de jouer d'autant qu'il va être obligé de descendre dans dix minutes. C'est au tour d'Arnold de garder l'argent de la mise dans ses mains. Le client mise aussitôt 640 francs mais perd car il n'a pas la bonne couleur. Il rejoue une seconde fois, et doit alors miser le double de 640 francs, c'est-à-dire 1280 francs. Là encore, il perd, son Roi se trouve dominé par l'As que lui retourne Claude. Il n'hésite pas pour tenter sa chance une dernière fois avec son As mais, de nouveau, Claude lui tend une autre couleur. Le pot qui est maintenant de 5.120 francs se voit bientôt doublé car après une nouvelle distribution, le client a le dernier As dans son jeu, et sait qu'il ne pourra pas être abattu par une carte plus forte, seulement il ne songe pas qu'une autre couleur suffit à l'abattre et c'est ce qui se produit. Confiant en son jeu jusqu'à la fin, le client mise encore une autre fois mais se fait évincer par une carte plus forte que lui retourne Claude. Il refuse alors de continuer, et Claude tout en lui disant qu'il le comprend très bien, retourne la carte qui aurait répondu à la troisième mise du client et lui dit avec un sourire angélique : « Voyez comme la persévérance paie. Avec une troisième mise, vous auriez gagné ». Il oublie tout simplement de dire que la carte qu'il vient de retourner provient du dessous et non du dessus du paquet, mais le « pigeon » énervé et soudain pressé parce que le train arrive en gare, n'a rien vu. Il prend sa valise, salue du bout des lèvres et saute du marchepied, tout en luttant pour que son chapeau ne s'envole pas dans la bourrasque. Claude le suit des yeux pour savoir s'il s'est rendu compte de leur coup monté et s'il a l'idée de se plaindre à la police. Mais il voit le « pigeon » s'engouffrer dans un taxi et faire un signe amical dans leur direction...

7. La princesse de Macao

C'est en Extrême-Orient que j'ai pu admirer, il y a une vingtaine d'années, la tricherie la plus subtile. De plus, c'est une femme qui l'exécutait. Mais pas n'importe quelle femme. Une authentique princesse dont la famille vivait à Canton avant la Révolution Rouge. Depuis, notre princesse réside à Hong-Kong dans un grand luxe : tunique chinoise richement brodée moulant son corps élancé, visage finement maquillé de manière à dissimuler son grand âge, long fume-cigarette en ivoire et surtout un fidèle serviteur la suivant sur ses pas.

Depuis de nombreuses années, la princesse Li Chang se rend une fois par mois à Macao dans « L'Enfer du Jeu ». La princesse embarque le matin à Hong-Kong sur un bateau hydroglisseur de la ligne régulière. Durant le trajet, elle reste sur le pont pour mieux contempler les petites îles qui défilent, tout en respirant l'air de la mer. Son serviteur la protège du soleil grâce à une ombrelle chinoise. L'arrivée à Macao demeure « grand style ». Le serviteur emprunte le premier la passerelle et aide sa maîtresse à passer. Puis, très sereinement, la princesse se dirige vers son temple : le casino flottant » (fig. 163). Cette grande dame digne va d'abord s'installer au restaurant du rez-de-chaussée tandis que son domestique rejoint la cantine des chauffeurs. Princesse Li Chang déguste délicatement les spécialités du Palace flottant, tout en regardant l'opéra chinois qui se déroule sur la scène. Environ deux heures plus tard, la princesse monte au premier étage. Elle jette un coup d'œil amusé sur les parties de Black Jack et pénètre finalement dans le salon privé réservé aux joueurs de Poker. Notre princesse vient pour jouer et les employés du Casino devraient donc la trouver sympathique.

Fig. 163 Nostalgie : le casino flottant de Macao : l'un des temples de l'enfer du jeu avant la transformation de la ville

Ce n'est pourtant pas leur sentiment car la princesse a un défaut. Elle n'aime pas perdre. Et, à chaque fois, c'est pourtant ce qui arrive. Li Chang devient alors coléreuse, renverse un cendrier ou bouscule un croupier et part en clamant des injures. Son serviteur est affolé et a du mal à la suivre jusqu'à la sortie. Là, elle prend un taxi et retourne à l'embarcadère.

Dès le premier jour où j'ai vu la princesse agir de cette façon, j'ai décelé l'extraordinaire tricherie employée par cette dame pour faire gagner un complice. Il fallait un tempérament exceptionnel pour jouer parfaitement son rôle de « Princesse coléreuse » afin de motiver une manipulation incroyable.

La stratégie employée par la princesse est la suivante : le complice qu'elle va faire gagner lui indique à chaque fois son jeu grâce à un code visuel (positions des mains dans la tenue des cartes). Notre princesse vérifie alors si des cartes de son propre jeu seraient utiles à son compère. Lorsque c'est le cas, elle lui fait un signe secret pour qu'il joue gros et lui transmet en code les cartes qu'elle va lui fournir. Par exemple, le complice peut avoir : Huit, Neuf, Dix de Cœur, Trois de Pique et Roi de Trèfle. La princesse a obtenu dans son jeu : Sept et Valet de Cœur, Quatre de Trèfle, Huit de Carreau et Dame de Pique. Il suffirait donc de donner à son complice le Sept et le Valet de Coeur pour que celui-ci obtienne une quinte flush. C'est justement ce qu'elle parvient à faire au nez et à la barbe des autres personnes. Son complice empalme discrètement les deux cartes inutiles (Trois de Pique et Roi de Trèfle), les pose sur ses genoux et sous la table tout en ayant posé les trois cartes de Cœur sur le tapis, en tas, comme si ces cartes étaient toujours au nombre de cinq. La princesse tient à l'empalmage de sa main droite les deux cartes désirées (Sept et Valet de Cœur) en ayant aussi reposé son paquet de trois cartes. Elle se tient prête. Un autre joueur monte l'enjeu contre son complice. La princesse abandonne et s'accoude sur son paquet de manière à ce qu'un employé ne le lui reprenne pas. Elle regarde attentivement. Au moment de « parler », son complice annonce « quinte flush » mais ne la montre pas. La princesse s'écrie : « Ah non ! C'est trop fort ! et en un mouvement nerveux applique secrètement ses deux cartes sur le paquet du complice, le retourne et étale les cinq cartes. On voit effectivement : Sept, Valet, Huit, Neuf et Dix de Cœur. Elle jette alors son paquet (de trois cartes) au visage du complice en l'insultant. Les cartes tombent sur les genoux du gagnant. Celui-ci les ramasse en rajoutant les deux cartes inutiles du départ et rend immédiatement ces cinq cartes au croupier. La princesse part. Le pigeon paie. Le complice se plaint de l'attitude de la princesse mais empoche ses gains et continue à jouer tranquillement.

Je suis sortie de la salle peu après Li Chang et l'ai suivie discrètement. J'ai embarqué sur le même hydroglisseur et l'ai observée durant tout le trajet. Elle avait l'air heureuse comme un enfant ayant réussi une bonne farce. Elle faisait même rire son domestique par ce qu'elle lui racontait. J'avais très envie de lui parler mais ne savais pas comment l'aborder. En arrivant à Hong-Kong, j'étais décidé. Je la rattrapai sur le quai et lui présentait aussitôt ma carte de visite tout en l'invitant à dîner. Devant cette brusquerie, la princesse se recula, me dévisagea, regarda sur les côtés comme pour vérifier si j'étais bien seul et étonna son serviteur en répondant « oui ».

Selon le désir de la princesse, nous sommes allés au restaurant panoramique de l'hôtel Hilton. Pendant une demi-heure environ, nous n'avons échangé que les mots nécessaires au choix du menu tout en admirant la baie de Hong-Kong couverte de jonques lumineuses avec, en toile de fonds, les buildings de Kowloon. Je lui parlai ensuite de mon métier et aussi de mon enquête. Sans insister, j'enchaînai sur mes découvertes en Chine et surtout sur le plaisir de dîner avec elle. La princesse se révéla une merveilleuse conseillère touristique en m'indiquant tout ce que je pouvais encore découvrir dans la région. L'ambiance était si agréable que je n'osais pas lui parler de son rôle de comédienne, si particulier. Elle a dû, je pense, apprécier ma discrétion sur ce sujet. Mais, pour moi, elle reste le symbole de la grande classe... en matière de tricherie. Je sais par un ami de Macao que la princesse a maintenant disparu.

8. Le parrain de Moscou

Grand, fort et bedonnant, Boris Sokanov a la mine renfrognée. C'est un ours. Il parle dans sa barbe la plupart du temps. Il est très riche. Comme il fréquente les pontes de la Mafia, tout le monde pense qu'il en fait partie. Même ses amis les plus proches ne savent pas dans quelles affaires il « trempe ». En réalité, Boris a hérité de son père la plus grande compagnie d'autocars de Russie et cela le rend milliardaire en roubles. Il préfère garder secrète cette activité qui lui demande peu de temps grâce à la compétence de ses directeurs et il entretient au mieux son image de « mafioso ». Il ne se déplace jamais en voiture sans six gardes du corps musclés. L'un est son chauffeur, un autre se tient devant lui et les quatre autres occupent une deuxième voiture qui les suit. Dès que Boris sort de sa voiture, ces quatre ex militaires se précipitent pour former une haie de protection, mitraillette à la main. C'est très spectaculaire mais, à Moscou, tous les gangsters font de même. Si quelques proches de Boris qui connaissent la vraie origine de sa fortune, lui demandent pourquoi il procède de la sorte, il répond : « Ici, on ne sait jamais, un petit voyou idiot serait capable de me tirer dessus en pensant naïvement qu'il pourrait ainsi prendre ma place, alors je ne prends aucun risque ».

Et comme Boris ne marche pas sur les plates-bandes des vrais « mafiosi » et, pour cause, ceux-ci l'ont, peu à peu, pris pour confident. Il est devenu un parrain de fait, respecté par tous les clans. Son seul point commun avec tous ces gangsters : le Poker. Et Boris les plume allègrement. Pour cela, il a fait fabriquer une belle table ronde, très massive. Le bord du tapis vert est décoré par une « grecque » (ligne formant des carrés) noire. Le trucage est très astucieux.

Quels ques soient les autres joueurs, Boris invite toujours à sa table

Dimitri Antonov dont les activités restent aussi très mystérieuses. Dimitri se place toujours face à Boris. Les autres, les « pigeons » s'installent où ils veulent. Et la partie commence, au Poker fermé.

Dès qu'il a ses cinq cartes en mains, Boris les transmet à Dimitri par un code visuel très subtil quasiment indécelable : par le déplacement des doigts sur l'éventail de cartes. Dimitri fait de même. Et là, aussi incroyable que cela paraisse, nos deux complices procèdent à un échange de cartes. Boris envoie les deux cartes dont il n'a pas besoin. Il les laisse tomber dans une fente réalisée dans le dessin de la grecque noire. Ses mains forment un petit paravent qui dissimule parfaitement cette descente de cartes dans le tapis. Boris appuie maintenant son genou droit sur le pied de la table situé juste à côté. Un véritable tapis roulant se met alors en route, très silencieusement et transporte les deux cartes vers Dimitri. Celui-ci place ses mains autour d'une fente située aussi devant lui. Les cartes sont éjectées. Dimitri les saisit puis presse du genou le pied de table situé sur sa droite. Cela inverse le mouvement du tapis roulant. Dimitri lâche alors les deux cartes qui intéressent Boris. Elles tombent dans la fente et rejoignent docilement les mains du « parrain ». Celui-ci fait vite monter les enchères et abat son jeu : Full aux Rois par les Dix. Les joueurs perdants sont à peine attristés tant l'argent sale leur est facile. De plus, ils sont si flattés d'être invités à la table de jeu de Boris. Et le maître des lieux fait souvent gagner Dimitri pour égarer d'éventuels soupçons.

Un jour, Illich, un patron de la drogue, a perdu tout l'argent liquide qu'il avait apporté et, totalement saoul, a proposé sa maîtresse Katya comme enjeu. Boris, amusé, a accepté et a encore gagné. Illich a tenu parole et a livré sa maîtresse, une superbe femme d'origine ukrainienne. Boris savait que cette femme était malheureuse, régulièrement battue par son amant. Il a donc accepté de la garder. Sous ses dehors bougons, Boris est très affectueux et a rendu Katya si heureuse qu'ils viennent de se marier. Ironie du sort , Boris avait gagné sa future femme avec un carré de dames.

Chaque mois, Boris se rend dans la plus célèbre clinique de désintoxication pour drogués. Les gens qui le suivraient, pourraient penser qu'il va y visiter un parent ou un ami... Cette clinique, à la pointe des traitements anti-drogues est bien la seule à Moscou à accepter les jeunes drogués sans le sou et à les garder le temps qu'il faut pour les guérir et c'est vraiment formidable, mais j'oubliais un détail que personne ne connaît : c'est Boris le propriétaire.

VIII – STRATÉGIES

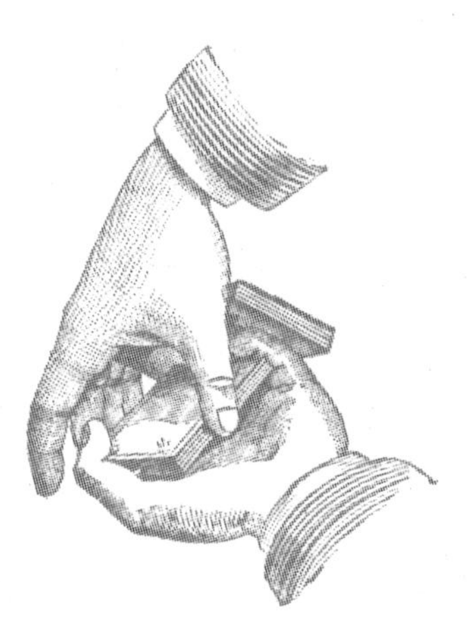

Un tricheur « né » est bien plus un grand psychologue qu'un adroit manipulateur.

1. Psychologie ou expérience ?

A. Attitude générale

Le tricheur professionnel a bien entendu une profession de couverture qui lui permet de laisser apparaître une certaine richesse. Il ne semble pas intéressé par l'argent et s'il annonce « miser de l'argent », c'est, dit-il « seulement pour valoriser la partie », mais avec une petite somme au départ. Il se montre très confiant et remet facilement à garder une sacoche contenant de l'argent ou des papiers importants. Il est évidemment psychologue mais ne le montre pas. Il paraît même assez balourd. Il est sympathique, mais n'est pas très avantagé par la nature. Il se plaindra de quelques maux ou infériorités physiques. Mais, surtout, il paraîtra « maladroit » en tenant mal les cartes, pas trop, seulement un peu. Le tricheur possède avant tout une qualité sans laquelle tous les autres dons seraient inefficaces : c'est le sens de l'opportunité.

B. La science des détournements d'attention

Le tricheur fait souvent semblant d'avoir une mauvaise vue, ce qui lui permet de faire tomber un objet au moment d'un change de paquet, par exemple. Tout mouvement anormal mais nécessaire à sa tricherie doit être motivé, pour paraître naturel aux autres joueurs. Ainsi, il va chasser de la cendre à l'aide d'une carte avant de mélanger, ce qui lui permettra de la courber contre la table.

Le début d'un éternuement sera propice à un mouvement de la main droite vers le nez pendant que la main gauche effectuera un saut de coupe.

C. L'équipe du tricheur

Sauf cas très exceptionnel, le véritable professionnel de la tricherie ne travaille pas seul. Tous les » coups » sont montés en équipe et l'on met au point une véritable stratégie. Le « Rabatteur » est chargé de repérer ou simplement d'indiquer le « pigeon ». Il est en effet joueur lui aussi. Toute la finesse de son action consiste à donner envie au pauvre joueur repéré de jouer avec son ami dont il se porte garant. Evidemment, il devra perdre aussi pour donner le change et montrer par sa sagesse et sa résignation toute la philosophie qu'un « plumé » doit arborer.

Les tricheurs internationaux voyagent sans cesse, s'échangent les adresses des rabatteurs ayant déjà « opéré » avec eux. Le rabatteur peut d'ailleurs tricher lui aussi à l'aide d'une technique mise au point avec le tricheur. Le manipulateur, trichant, s'arrange souvent pour faire gagner un complice afin d'égarer les soupçons.

« L'Echangeur » est chargé de placer des jeux truqués à la place des jeux qui vont servir lors d'une partie. Cela peut même nécessiter un véritable cambriolage mais, la plupart du temps, il suffit d'éloigner la personne responsable du tiroir ou de l'armoire contenant les cartes.

Plusieurs tricheurs engagent également une prostituée chargée de « fatiguer » le « pigeon » avant la partie. C'est grâce à ce système que de nombreux joueurs malchanceux ont cru vérifier le proverbe « malchanceux au jeu mais heureux en amour ».

L'histoire du trichage a montré que des employés de casinos, de cercles, de magasins, de fabriques ont été parfois complices d'un tricheur.

C'est la raison pour laquelle ces établissements sont très exigeants pour le recrutement de leur personnel.

Le « pigeon » n'ayant souvent pas assez d'argent pour payer le tricheur immédiatement, s'engage à le régler dans les jours suivants. C'est la classique « dette de jeu ». Mais, de temps en temps, ayant des soupçons, il revient sur sa décision et ne veut plus payer. Le tricheur fait alors appel à un « encaisseur ». Il s'agit en général d'un homme de bonne famille, ayant de bonnes manières et une grande allure. Son honorabilité et ses relations ne font aucun doute. Il perçoit évidemment 10 % de la créance. La plupart du temps, cette personne est d'ailleurs très honnête et ne cherche pas à savoir si le gagnant a triché ou non. Son « noble » but est avant tout de faire respecter la parole donnée.

2. La psychanalyse du tricheur

Excepté le cas où le tricheur a fait ses premières armes dans le cadre familial (méthodes et secrets du métier se transmettant pieusement dans certaines lignées ou entre amis), il s'agit la plupart du temps d'un véritable cas pathologique. Le tricheur est alors un paranoïaque à tendance masochiste. En effet, une frustration importante intervenue durant son enfance et dont on retrouve toujours la trace en l'analysant, peut développer en lui un désir intense de domination. Il veut être certain de gagner et il triche. Sous son apparence sociable, le tricheur peut ressentir alors une véritable haine envers la société. Il est très seul. Le fait de tricher peut déclencher aussi une certaine angoisse associée au stimulus de la domination. Cette anxiété devient alors excitante. Plus il y a de risques et plus le tricheur prend du plaisir. Le déséquilibre peut néanmoins devenir si grand que le trichage n'assouvit plus le désir de « peur ». C'est la raison pour laquelle de nombreux grands tricheurs aux cartes vont ensuite jouer à la « roulette » où ils ne peuvent pas tricher. À ce moment-là, l'angoisse est totale, la perte aussi.

Ce processus masochiste a d'ailleurs été reconnu par de nombreux joueurs qui ne trichaient pas. L'histoire d'Angleterre nous révèle qu'un jour, Georges III demanda à Fox quel était, à son avis, le plus grand plaisir que l'on pût éprouver? « C'est de gagner au jeu », répondit l'homme d'Etat. « Et après ce plaisir? » ajouta le Roi. « C'est de perdre au jeu », répliqua Fox.

Le joueur honnête, lui-même, lorsqu'il a tout perdu, est souvent plus heureux qu'en possession d'argent à jouer, car il sait qu'il sera obligé de jouir de la vie normalement, sans avoir la conduite, devenue pathologique, d'aller s'enfermer dans une salle de jeux.

Cela nous fait penser au toxicomane attiré à nouveau par son lieu d'obtention de drogue lorsqu'il a de l'argent. De ce point de vue, le tricheur est pour le joueur ce qu'est un médecin psychiatre pour le drogué. C'est un mal compréhensible sinon nécessaire.

3. La psychotronique en question

Ce terme a été officialisé en 1967 à Prague, par le docteur Zdenek Rejdak et concerne l'étude des « phénomènes dans lesquels l'énergie est dégagée par le processus de la pensée ou par la pulsion de la volonté humaine ». Cette énergie serait aussi bien capable de transporter de l'information que d'engendrer de l'action physique. Ce concept de « psychotronique » rejoint celui de « parapsychologique », d'origine psychologique et celui de « métapsychique », plus physiologique, mais l'objet commun de leur étude réside dans trois grandes séries de phénomènes : l'information paranormale ou « clairvoyance », la communication paranormale ou « télépathie », l'action paranormale ou « psychokinèse ». Ces phénomènes peuvent paraître susceptibles de s'affranchir partiellement des contraintes habituelles de l'espace, du temps et du mouvement.

L'expérimentation de ces phénomènes se réalise en laboratoire de manière quasi scientifique et tend à éliminer les « fraudeurs » grâce à une automatisation totale. Les résultats sont parfois étonnants. L'usage de plus en plus général des « générateurs aléatoires » a paru montrer que l'homme, les animaux et la matière vivante en général, pourraient dérégler tout phénomène physique instable et souvent dans le sens de l'adaptation à leurs besoins.

De nombreux tricheurs aux cartes sont au courant de ces travaux et essaient d'en appliquer les résultats au jeu. Plusieurs spécialistes m'ont affirmé ne devoir leurs gains qu'à cette pratique. La « clairvoyance » leur permettrait de connaître, à l'avance, la carte étant au-dessus du jeu ou, du moins, d'en avoir une approximation assez proche. C'est, bien entendu, la « télépathie » qui obtient le plus d'adeptes. Mais il faut un « agent émetteur » correspondant au tricheur. Un changement brusque de joueur peut tout compromettre. C'est la raison pour laquelle ce genre de tricheur joue, plutôt avec des amis en se contentant de légers gains. C'est souvent, disent-ils, seulement pour le plaisir de la performance.

Ce qui m'a le plus amusé dans ce domaine est l'application de la « psychokinèse ». J'ai en effet rencontré un joueur de Poker qui prétendait penser fortement à un certain jeu (par exemple : Full aux « Rois » par les « 9 ») avant la distribution. Un autre joueur mélangeait et distribuait. Par effet « psychotronique », le jeu souhaité parvenait au tricheur. Celui-ci m'a assuré qu'il ne pouvait réussir cela qu'une fois dans la soirée et après avoir fait une heure de yoga. Combien de joueurs chanceux croient appliquer ce principe automatiquement, seulement par leurs souhaits de réussite ?

Personnellement, je ne crois à rien de tout cela. C'est vraiment une illusion. Quelques résultats positifs qui s'expliquent statistiquement, peuvent faire croire à des joueurs qu'ils ont un « don ». Leur proche défaite leur démontrera le contraire. Les pouvoirs paranormaux ne restent qu'un beau rêve.

IX – POLICE DES JEUX

1. Les casinos veillent

La direction d'un casino essaie de maîtriser au maximum... tous les détails de leur système de protection. À différents niveaux, le tricheur aux cartes se trouve devant des difficultés quasiment insurmontables. Ces ingénieuses dispositions sont le résultat de nombreuses années d'expérience et ont été créées progressivement en réaction à différentes tricheries. Chaque Casino d'Europe ou des Etats-Unis a d'ailleurs toute liberté quant à sa protection vis-à-vis d'éventuels tricheurs et possède sa propre police privée. En France, la méthode est différente car les casinos dépendent tous du Ministère de l'Intérieur et s'ils ont un doute sur un joueur, ils doivent faire appel à la Police des Jeux.

A. Les employés d'un casino

La direction dispose d'une importante équipe de surveillance dépendant directement d'un Sous-directeur des jeux. Chaque salle dispose de deux surveillants mais, bien entendu, les croupiers et les chefs de table observent également les joueurs et sont formés spécialement pour détecter tout mouvement anormal. En outre, un Inspecteur a la responsabilité de la salle. Le physionomiste, comme son nom l'indique, est chargé de refuser l'entrée à tout tricheur déjà repéré. L'équipe « télévision » constitue l'organisme le plus efficace pour l'observation secrète d'éventuels tricheurs. Mais, avant tout, les employés sont vraiment triés sur le volet et sont manifestement d'une grande intégrité. Cela dit, l'expérience des croupiers ne signifie pas qu'ils connaissent toutes les tricheries mais leur intuition du jeu leur signale une situation anormale.

B. Le trajet d'un jeu de cartes

Chaque matin, le « Cartier » vient chercher les jeux de cartes neufs. On lui sort du coffre spécial le nombre de jeux dont il a besoin. Ces jeux sont numérotés. Il doit indiquer sur un registre, son nom, le jour, l'heure et les numéros des jeux emportés. Les jeux de cartes sont apportés sur les tables. Chaque croupier les étale et même les compte devant les joueurs. Si un client demande à mélanger les cartes, on le laisse faire, mais c'est le croupier qui les mêlera une autre fois en dernier.

En fin de partie, les cartes sont à nouveau comptées et vérifiées par le « cartier » qui peut ainsi détecter une anomalie quelle qu'elle soit (marquage, pliure, disparition). Puis, le « cartier » les ramène au coffre en signant à nouveau le registre. Un employé est spécialement chargé de la destruction des cartes après usage.

C. Le circuit de télévision

Plusieurs caméras de télévision sont adroitement dissimulées dans la décoration et permettent d'observer tous les clients dont les gestes étranges seraient signalés. Ces caméras perfectionnées peuvent « zoomer » sur une main ou sur une carte afin de les grossir suffisamment pour vérifier l'honnêteté de ce joueur, devenant, sinon, dangereux pour les autres. Dans une salle spéciale, deux observateurs scrutent les écrans tout en recevant ou en donnant des ordres par téléphone (fig. 164).

Cela dit, d'éventuels tricheurs repèrent très vite les caméras « cachées » et modifient leurs mouvements en fonction des angles de prises de vue.

De plus, un zoom n'est pas très rapide à effectuer pour un opérateur TV. C'est donc facile pour un complice du tricheur d'avoir une attitude équivoque qui attirera les caméras pendant l'action qui doit rester secrète.

Fig. 164 La salle de surveillance par télévision. Chaque écran peut montrer en gros plan la main d'un joueur suspecté de trichage.

En réalité, un Casino se moque des tricheries au Poker car son pourcentage sur les jeux reste le même. Mais, la réputation d'un établissement est primordiale d'où l'arrestation régulière de petits escrocs pour tranquilliser les joueurs honnêtes.

En dernier ressort, le Directeur Général possède dans son bureau un récepteur lui permettant d'obtenir n'importe quel canal.

D. Transformation d'un sabot

L'amélioration d'un appareil utilisé par le casino s'effectue souvent grâce aux tentatives de trichage. Le directeur m'a raconté l'histoire du « sabot » transformé justement après la prise sur le fait d'un joueur malhonnête. Celui-ci parvenait à prendre secrètement un petit paquet de cartes à l'empalmage, en passant par l'ouverture supérieure du sabot au moment de se servir et tout en sortant normalement par le bas sa carte avec le pouce. Cet empalmage paraît d'ailleurs prodigieux de virtuosité. Le tricheur donnait ainsi secrètement le paquet de cartes à un complice. Ce dernier allait tranquillement aux toilettes et arrangeait les cartes en cachette. Il revenait à la table et repassait le paquet au tricheur qui parvenait à le remettre dans le sabot par le même mouvement à l'envers. Il s'assurait ainsi quelques « coups ». Son fantastique mouvement fut néanmoins découvert. La Direction fit aussitôt placer des petits barreaux sur l'ouverture pour empêcher tout nouvel essai. Par la suite, le sabot fut complètement hermétique dès sa fabrication.

2. Garantie du fabricant

Tous les détails sur la fabrication des cartes à jouer, destinées aux casinos, nous ont été donnés par le directeur d'une des plus importantes usines de cartes d'Europe.

A. Fabrication des cartes

Ces cartes n'ont plus d'index sur les coins et les dos sont unis. De plus, leur grande taille empêche pratiquement tout empalmage.

1. Le carton spécial est fourni par une usine allemande, garantissant l'absence de toute impureté pouvant ensuite servir de marque au dos des cartes.

2. Les « planches » de cartes sont imprimées en « offset » (fig. 165).

3. Ces planches sont ensuite passées à travers des rouleaux les enduisant d'un mélange de vernis et de stéarate destiné à les faire glisser.

4. Elles passent encore à travers d'autres rouleaux destinés à les « repasser ». À leur sortie, elles sont réhumidifiées.

5. Ces planches sont ensuite découpées par des machines spéciales et assemblées en paquets.

6. Les paquets sont ensuite enveloppés avec de la cellophane.

7. Ces trois dernières opérations sont d'ailleurs maintenant réalisées par une « chaîne » automatique absolument remarquable.

Fig. 165 Dans une fabrique de cartes à jouer, le directeur vérifie l'impression des planches.

Fig. 166 Les cartes pour les Casinos sont triées attentivement. Le moindre défaut entraîne l'élimination.

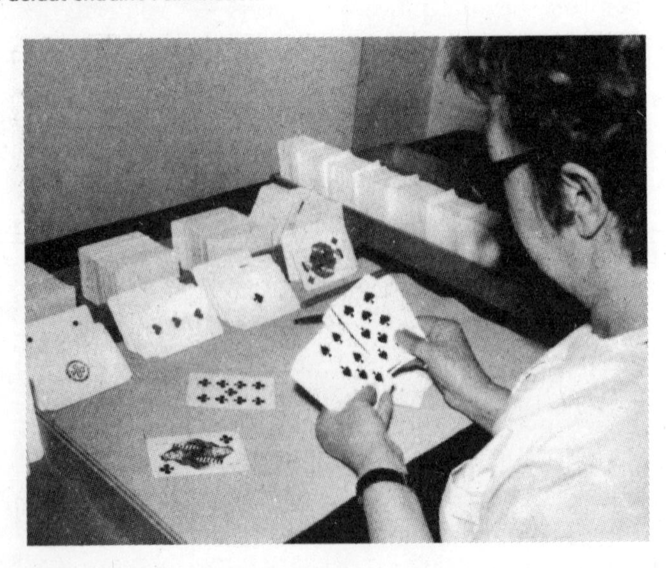

Fig. 167 Une vérificatrice s'assure que chaque jeu est complet par superposition d'une paroi transparente

B. Vérification des cartes de casinos

Cette vérification s'effectue dans une salle spéciale à l'aide d'un matériel adapté. Elle est réalisée par une équipe d'ouvrières triées sur le volet.

1. Une première ouvrière examine toutes les cartes systématiquement pour retirer celles qui présentent un défaut, aussi petit soit-il (fig. 166). Cette grande précaution occasionne d'ailleurs 35 % de déchets, ce qui est énorme.

2. Une deuxième ouvrière vérifie qu'un jeu est complet grâce à un présentoir sur lequel elle place toutes les cartes. Puis, elle abaisse une paroi transparente sur laquelle sont dessinées les cartes. Un coup d'œil par superposition permet de savoir si le jeu est complet (fig. 167).

3. Une troisième ouvrière enveloppe le jeu à la main avec du papier cellophane soudé par cinq points d'une colle spéciale afin d'obtenir la destruction de cet emballage lorsqu'un fraudeur voudrait l'ouvrir secrètement (fig. 168). Et pourtant, des tricheurs sont parvenus, il y a quelques années, à ouvrir délicatement cet emballage, à le redécouper un peu pour pouvoir le refermer et le recoller après avoir, bien entendu, trafiqué les cartes. Il s'agissait d'un

Fig. 168 Emballage à la main à l'aide de papier cellophane spécial.

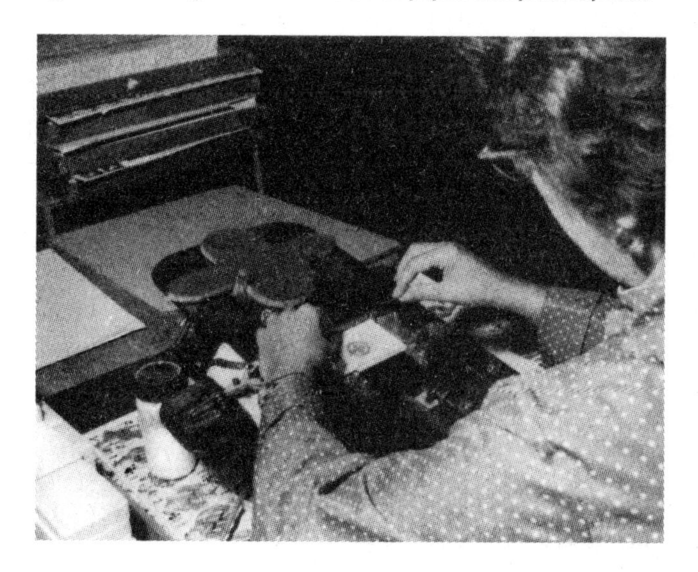

« tuilage », courbant certaines cartes afin de les reconnaître. La Police des Jeux a enquêté à l'usine mais la direction a pu prouver facilement que les jeux truqués étaient préparés à l'extérieur et après leur vente, car justement, l'emballage de papier cellophane était diminué de cinq millimètres par rapport à celui des jeux habituels.

4. Une quatrième ouvrière place enfin un « jeu » dans une boîte de carton, fermée, collée et numérotée. L'expédition de ces boîtes de jeux aux casinos ne se fera donc qu'en envoyant conjointement la liste de ces numéros en réponse à un bon de commande émis par le casino et ratifié par le Service de la Police des Jeux.
Le directeur m'a d'ailleurs déclaré : « Ma profession de maître cartier m'oblige à avoir le souci constant d'un produit de qualité, répondant à la demande des joueurs, et leur garantissant le maximum de sécurité vis-à-vis de tricheries possibles ».

3. La police protège le hasard

J'ai été accueilli fort courtoisement par le Directeur de la Police Française des Jeux qui, avant de me révéler divers mécanismes de son service, m'a déclaré :

« La Police des Jeux est un service puissamment armé sur le plan législatif et réglementaire, hautement spécialisé, souvent méconnu mais qui répond à une nécessité certaine dans un domaine d'activité qui ne cessera jamais d'intriguer, de fasciner parfois et d'inquiéter à l'occasion. Par sa vigilance constante, elle exerce une action répressive et dissuasive, tendant à assurer la sincérité et la régularité des jeux et des paris en créant un climat d'insécurité constant pour les tricheurs et les fraudeurs ».

A. Progression historique

Peu de gens connaissent l'origine du mot « tricheur ». Cette appellation provient du mot « tricharia » qui concernait un jeu de dés pratiqué en Italie et dans le Sud-Est de la France à la fin du XIIIe siècle et durant le XIVe siècle. Ce jeu consistait à tromper ouvertement son adversaire selon une règle établie auparavant. Ce jeu peu honnête fut progressivement interdit. En 1550, les statuts de la ville de Nice autorisent uniquement les tavernes où l'on ne pratique pas la « tricharia ». Le jeu disparut complètement en laissant toutefois son nom, synonyme de tromperie, avec les dérivés : tricherie, tricheur, trichage.

Le Code Pénal ayant restructuré la législation, l'article 410 y stipule l'interdiction de tous les jeux de hasard. Les joueurs continuent néanmoins. Toutes les répressions demeurent inefficaces; La tolérance devenant de plus en plus grande, l'Etat français décide alors de régulariser cette situation de fait. D'où trois textes fondamentaux : - La loi du 2 juin 1891 qui est à l'origine de l'organisation du Pari Mutuel; - La loi du 15 juin 1907 réglementant les jeux pratiqués dans les Casinos et celle du 30 juin 1923 pour les Cercles. Ces trois documents législatifs autorisent donc les paris ainsi que certains jeux, par dérogation à l'article 410. L'intérêt de ces textes est de passer du stade de la tolérance à celui de la réglementation afin de contrôler cette pratique des jeux qui n'avait pu être interdite. Toute l'organisation et le fonctionnement des jeux dépendent donc de l'Etat. Voici un extrait de la loi du 15 juin 1907 :

« *Art. 5* – Sera puni des peines prévues aux deux premiers alinéas de l'art. 410 du Code Pénal, quiconque :

– Aura exercé les fonctions de Directeur ou de Membre du Comité de Direction sans avoir obtenu l'agrément préalable du Ministre de l'Intérieur,

– ou aura fait fonctionner des jeux de hasard en infraction aux dispositions de l'arrêté d'autorisation,

– ou aura dissimulé ou tenté de dissimuler tout ou partie des produits des jeux servant de base aux prélèvements prévus par la loi ».

On devait ainsi fixer les conditions d'exploitation destinées à assurer la régularité des parties, d'où la création du Service Central des Courses et des Jeux. De très nombreux détails allaient être ultérieurement précisés pour prévenir les fraudes et les tricheries susceptibles d'être commises aussi bien par les joueurs que par les employés de jeux. Voici d'ailleurs, en exemple, l'article 9 du décret du 22 décembre 1959 :

« Les membres du personnel des salles de jeux ci-après désignés : chef et sous-chef de table, croupier, changeur, ravitailleur et valet de pied doivent, pendant le travail, porter des vêtements sans poche ».

B. Action préventive et répressive du service des jeux

1. *Police préventive* : elle est constituée par l'appareil administratif :

– Les enquêtes : autorisation d'ouverture pour les nouveaux établissements, agrément des dirigeants et employés, exclusions administratives d'office (en cas de soupçon de fraude) ou volontaires pour cinq ans minimum (car les clients de casinos ayant demandé leur exclusion afin de ne plus céder à la tentation du jeu, ne peuvent obtenir la levée de cette mesure avant cinq ans au moins), fermeture administrative des débits de boissons pour diverses raisons d'ordre public (tripots clandestins).

– Surveillances et contrôles des casinos et cercles implantés sur l'ensemble du territoire français (Métropole et départements d'Outre-Mer, par exemple : Hilton et Méridien à la Martinique) ainsi que des champs de courses (chevaux et lévriers).

– Études et monographies juridiques, contentieuses et techniques. Il s'est ainsi créé une extraordinaire dynamique de réglementation adaptée aux actes de trichage. Les créneaux d'action sont devenus si étroits que tout acte de trichage tend à s'inscrire dans une attitude anormale. C'est ainsi que le sabot est apparu et que les cartes se sont transformées. Les index ont disparu et la taille de 5,5 x 8,5 cm a été augmentée jusqu'à 6,75 x 9,75 cm rendant pratiquement impossible toute manipulation frauduleuse. De plus, un véritable cérémonial a été mis en place. Les clients des Casinos et des Cercles ont compris que cette réglementation minutieuse, loin d'être vexatoire, constitue une garantie supplémentaire de loyauté dans le déroulement des jeux.

2. *Police répressive* : elle représente l'appareil judiciaire :

– Repérage et arrestation des joueurs ayant commis des infractions : tricheries, fraudes, détournements, etc...

– Constat et éliminations des jeux clandestins : tripots, arrières-salles de bistrots, etc...

C. Organisation du service central des jeux

Il existe quatre sections :

1. *L'administration :* logistique, gestion et documentation.

2. *Les courses :* hippodromes (chevaux) et cynodromes (lévriers).

3. *Les jeux :* casinos et cercles.

4. *Les recherches :* concernant les jeux ou les paris clandestins.

Le recrutement des fonctionnaires du service est simple. Il s'agit de policiers affectés à ce service et qui doivent se spécialiser grâce à une formation comportant des études théoriques et pratiques. Le Service Central est néanmoins amené à utiliser des éléments appartenant aux services extérieurs après des stages de recyclage.

Les liaisons nationales sont fréquentes et très importantes : milieux professionnels, Ministères (Finances, Intérieur, Agriculture, etc...), ainsi que la Police Judiciaire (branche Interpol).

Les liaisons internationales aboutissent surtout aux services correspondants tels que « The Gaming Board of Great Britain » ou les autorités de l'État du Nevada (Las Vegas).

D. Techniques opérationnelles

1. Sur le plan stratégique : il s'agit de missions fixes (par exemple une permanence dans un Casino), ou de missions itinérantes (actions de la Police Judiciaire ou contrôle d'établissements).

2. Sur le plan tactique : les opérations peuvent être de deux types :

Interventions officielles : permanences, contrôle, etc...

- Interventions secrètes : les policiers ont alors l'apparence de joueurs tout à fait neutres pour agir discrètement et démasquer les délinquants.

E. Les tournois internationaux

Les tricheurs de Poker n'hésitent pas à participer aux grands tournois internationaux. Ils ne trichent qu'au cours des parties préliminaires car il y a peu de surveillance à ce stade du tournoi. Les caméras de télévision sont très élevées et les tables sont souvent mal éclairées. De plus, il n'y a pas beaucoup de synchronisation entre les surveillants des tables et les opérateurs de TV placés à l'extérieur.

Aussi invraisemblable que cela paraisse, les joueurs ne sont pas fouillés à l'arrivée. Personne ne vérifie que leurs lunettes ne possèdent pas de filtres particuliers.

Par contre, à la table des finalistes, personne ne s'aviserait de tricher. À ce moment de la compétition, les joueurs sont très observés par le Directeur des jeux, par les contrôleurs, par les autres joueurs et sont surtout filmés par des chaînes de télévision dont les bandes d'enregistrement pourraient permettre une vérification.

F. Déterminisme et hasard

La vie contemporaine organise et prévoit de plus en plus nos moindres gestes. Le hasard tend à disparaître pour laisser la place à un déterminisme quasi-total. Les jeux de hasard représentent encore un îlot de liberté parmi les contraintes de la vie moderne. Le tricheur brise le hasard en rétablissant le déterminisme à son profit. En l'éliminant, le policier protège donc le hasard et se considère, à juste titre, comme le gardien d'une certaine poésie, donnant ainsi à son travail les lettres de noblesse dont il aurait peut-être paru manquer, malgré l'activité harassante et complexe du Service des Jeux. Chaque année, plus de trois cents « destructeurs de hasard » ont ainsi été poursuivis judiciairement grâce au Service des Jeux, afin de garantir aux joueurs le maximum de chance.

X – À VOUS DE JOUER

Si vous pensez que les impôts sont trop légers et désirez payer un supplément avec peu de chances d'être escroqué :

JOUEZ DANS LES CASINOS
OU DANS LES CERCLES

Si vous voulez gagner de l'argent discrètement tout en risquant de vous faire plumer un jour ou l'autre par un vrai tricheur :

JOUEZ DANS LES PARTIES PRIVÉES

Si vous désirez démunir votre famille ou en arriver au suicide :

JOUEZ DE FORTES SOMMES

Si vous êtes désoeuvré ou blasé, que vous refusez l'alcool et la drogue tout en désirant un équivalent qui peut se révéler aussi dangereux :

JOUEZ SANS LIMITES

Si votre rêve est d'être poignardé au coin d'une rue ou de finir vos jours en prison :

JOUEZ EN TRICHANT

Mais enfin, si vous voulez vous amuser sans prendre trop de risque :

JOUEZ UNIQUEMENT AVEC DES AMIS

Quant à moi, je ne joue jamais car si je gagne, sans tricher, les autres penseront tout de même que j'ai triché et si je perds je passerais vraiment pour un nul.

Quel que soit votre choix : *Bonne Chance...*

GÉRARD MAJAX

• • • SAGIM • CANALE • • •

Achevé d'imprimer en mai 2007
sur rotative Variquik à Courtry (77181)
pour le compte des Éditions Abracadabra
Paris

Mise en page de David Lee Fong
Photographies D.R.
Composition de Marie-Claude Puteaux

Imprimé en France

Dépôt légal : 2e trimestre 2007
N° d'impression : 10207

L'imprimerie Sagim-Canale est titulaire de la marque
Imprim'vert®